Dathlu Celebrate

Cyhoeddwyd yn 2018 gan
Wasg Gomer, Llandysul, Ceredigion SA44 4JL

ISBN 978-1-78562-250-2

Dymuna'r cyhoeddwyr gydnabod
cymorth ariannol Cyngor Llyfrau Cymru.

Argraffwyd a rhwymwyd yng Nghymru gan
Wasg Gomer, Llandysul, Ceredigion

Published in 2018 by
Gomer Press, Llandysul, Ceredigion SA44 4JL

ISBN 978-1-78562-250-2

The publishers wish to acknowledge the
financial support of the Welsh Books Council

Printed and bound in Wales at
Gomer Press, Llandysul, Ceredigion

lisa@thepumpkinpatch.org.uk   www.thepumpkinpatch.org.uk

 The Pumpkin Patch Kitchen & Garden   lisaannefearn   @thepumkinpatch

Dathlu
Celebrate

LISA FEARN

Gomer

Rhagarweiniad

Os mai cydnabod pwysigrwydd a gwerth y cerrig milltir yn ein bywydau a'u rhannu gyda'r bobol rydym yn eu caru yw pwrpas dathlu, bwyd yw'r ffordd berffaith o gyflawni hynny.

Roedd fy llyfr cyntaf, *Blas – Taste*, yn ddathliad o fwyd a theulu drwy'r tymhorau. Mae *Dathlu – Celebrate* yn ddathliad o fwyd a theulu ar yr achlysuron arbennig hynny pan rydym ni'n creu'r atgofion mwyaf melys. Mae dod ag anwyliaid at ei gilydd i ddathlu yn hwyl, ond mae darparu bwyd ar eu cyfer yn gallu bod yn her.

Gobeithiaf y bydd y llyfr hwn yn darparu help ymarferol, syniadau, hintiau a thips i'ch helpu i goginio a diddanu'r holl deulu, o'r ieuengaf i'r hynaf, ac yn dangos i chi sut i dorri corneli weithiau, er mwyn i chi dreulio mwy o amser gyda nhw. Mae'n frith o weithgareddau i gadw aelodau ieuengaf y teulu'n brysur a hapus, a dim golwg o dabled neu ffôn clyfar yn unman.

Bydda' i'n dathlu cyrraedd carreg filltir bwysig iawn y flwyddyn nesaf, ac rwy'n ei rhannu gyda Sali Mali, y cymeriad plant poblogaidd. Rwy'n siŵr na fydd ots gyda Sali ddatgelu ei bod hi'n dathlu ei phenblwydd yn 50! Mae hanner canrif yn golygu ein bod ni wedi cael llawer o brofiadau ac y dylen ni wybod yn iawn sut mae dathlu!

Mae Sali a'i ffrog oren, eiconig wedi chwarae rhan bwysig yn fy mhlentyndod – treuliais oriau yn darllen amdani hi a'i ffrindiau, Jac Do, y Pry Bach Tew a Siani Flewog pan oeddwn yn blentyn. Yn sicr, mae ei hapêl yn hirhoedlog ac rwy'n cyflwyno'r bennod Parti Penblwydd iddi. Ac mae gwahoddiad i bob un ohonoch!

Gallwch ddefnyddio ryseitiau *Dathlu – Celebrate* unrhyw bryd, neu ar gyfer achlysuron penodol, ond cofiwch fod cwmni da a bwyd da yn gwneud pob dydd yn arbennig. Felly, dathlwch!

Introduction

If the purpose of celebrating is to recognise the importance and value of the milestones in our lives, and to share them with the people we love, food is the perfect way to achieve this.

My first book, *Blas – Taste* was a celebration of food and family through the seasons. *Dathlu – Celebrate* is a celebration of food and family through those special occasions when we make the sweetest memories. And although nothing is more rewarding than bringing those family and friends together to celebrate, catering for a small army can be challenging.

I hope this book provides practical help, ideas, hints and tips to help you cook for and entertain the whole family, from the youngest to the oldest, and occasionally allow you to cut a few corners too, so that you can spend more time in their company. It is peppered with activities designed to keep the younger members of the family busy and happy, with no tablet or smartphone in sight.

I will be celebrating a very important milestone next year, and I share it with Sali Mali, the popular children's character. I'm sure Sali won't mind me saying that it's the big 50! Half a century means that we've been around a fair while, so we really should know how to celebrate!

Sali Mali - dressed in her iconic orange dress has been a constant companion since my childhood. I spent hours reading about her and her friends, Jac Do, Pry Bach Tew and Siani Flewog when I was a child. Her appeal is certainly enduring, and I dedicate The Birthday Party chapter to her. You are all invited, of course!

You can use the recipes in *Dathlu – Celebrate* any day and every day or keep them for special days, although with good company and good food every day is special. So let's celebrate and make memories.

Y Rysáit Berffaith i Chi

Find Your Perfect Recipe

Diwrnod yr Eira

Bwyd i leddfu'r enaid a thwymo'r bysedd!

Pan ddaw eira, daw dyddiau arbennig a hapus. Gan fod y dyddiau yma mor brin maent i'w trysori ynghyd â'r atgofion melys maen nhw'n eu creu. Hyd yn oed os yw'n gas gennych weld y plu bach gwyn yn disgyn, gallwch fod yn sicr bydd y plant yn cyffroi ac wrth eu boddau yn cael ambell ddiwrnod adre o'r ysgol i redeg o gwmpas yr ardd yn taflu peli eira ac yn gwneud dynion eira. Pan ddaw eira, mae hyd yn oed y plentyn mwyaf amharod i adael y tŷ yn straffaglu i ddod o hyd i'w welis.

Pan fo'r menig gwlân yn gwlychu a'r bysedd yn llosgi a phan fo dŵr rhewllyd yn socian trwy'r trowsus, does dim byd gwell na dod yn ôl i'r tŷ a chwtsio mewn blanced o flaen y tân tra'n magu basnaid o gawl twym neu ddiod siocled poeth... creu atgofion melys.

Snow Day

Food to warm the soul and the fingertips!

Snow days are special days, especially since they don't come around very often. They are to be treasured and celebrated and can create some of the best and happiest memories. Whether you love or loathe seeing the magical flakes appear from the heavens, you can guarantee the children will love them and relish the odd day off school to run around the garden throwing snowballs and building snowmen. Even those reluctant to step outside will always make an exception when there's snow falling.

When sopping wet woolly gloves make the fingertips painfully cold, and trousers are soaked through with icy water, nothing beats coming in from the cold to some warming soup or a creamy chocolate drink. Wrapped in a blanket by the fire, toes tingling, embracing a mug of spicy stew... making memories for life.

Tafelli mafon yr eira

Ar gyfer y crwst melys:
250g blawd plaen
125g menyn
85g siwgwr eisin
1 wy

Ar gyfer y llenwad:
2 wy
½ cwpanaid o siwgwr
200g blawd cnau coco
jam mafon
eich hoff aeron

Cynheswch y ffwrn i 160°C / 140°C (ffan) / 320°F / nwy 3.

I wneud y crwst:
Torrwch y menyn yn giwbiau ac ychwanegwch at y blawd mewn powlen fawr. Gan ddefnyddio blaen eich bysedd, rhwbiwch y menyn i mewn i'r blawd nes bod y gymysgedd fel briwsion bara.

Ychwanegwch y siwgwr eisin.

Ychwanegwch un wy a chymysgwch i ffurfio toes.

 Os yw'r gymysgedd yn rhy sych ac yn dechrau briwsioni, ychwanegwch y melynwy neu ddiferyn o ddŵr oer.

Gorchuddiwch â haenen lynu a'i adael i oeri am 20 munud – dim mwy, neu bydd y menyn yn caledu ac fe fydd yn anodd i'w rolio. Os yw hyn yn digwydd, gadewch i'r gymysgedd dwymo ychydig cyn rholio.

I wneud y tafelli:
Rholiwch y crwst a'i osod mewn tun crasu gwastad.

Gorchuddiwch gyda jam mafon ac ychwanegwch eich dewis o aeron, e.e. llus, mafon, tafelli o fefus neu lugaeron sych.

Cymysgwch yr wyau, y siwgwr a'r blawd cnau coco gyda'i gilydd, rhowch y gymysgedd ar ben y jam a'r ffrwythau a phobwch am tua 40 munud.

Taenwch fwy o "eira" blawd cnau coco a siwgwr eisin ar ben y cyfan.

Snowy raspberry slices

For the sweet pastry:
250g plain flour
125g butter
85g icing sugar
1 egg

For the filling:
2 eggs
½ cup of sugar
2 cups of desiccated coconut
raspberry jam
your favourite berries

Pre-heat the oven to 160°C / 140°C (fan) / 320°F / gas mark 3.

To make a batch of pastry:
Cut the chilled butter into small cubes and add it to the flour in a large bowl. Using your thumbs and fingertips, rub the butter into the flour until the mixture resembles breadcrumbs.

Add the icing sugar.

Add an egg to the mixture and bring it all together to form a ball of dough.

 If the mixture is too dry and crumbly add an additional egg yolk or a drop of cold water.

Cover in cling film and chill for just 20 minutes – any longer will harden the butter too much and it will be very difficult to roll. If this happens, allow the mixture to warm slightly before rolling.

To make the slices:
Roll out the pastry and place into a flat baking tin.

Spread with raspberry jam and add any berries you fancy, e.g. blueberries, raspberries, strawberry slices or even dried cranberries.

Mix together the eggs, sugar and desiccated coconut. Spread this mixture over the jam and fruit and bake for about 40 minutes.

To make the slices extra snowy, scatter more coconut and a dusting of icing sugar on top.

Dyma rysáit hyfryd draddodiadol deuluol o eiddo Elspeth, fy nghyfnither. Daeth draw am de un prynhawn â llond plât ohonyn nhw, ac ar ôl blasu'r un gyntaf, doedd dim stop arna i – peth anarferol iawn i mi! Felly, gofynnais iddi am y rysáit, a dyma hi. Gobeithio nad oes ots 'da ti Elspeth – efallai y gallwn ei chynnwys er cof am ein hannwyl Dora, mam Elspeth, a oedd yn iach fel cneuen nes iddi farw eleni yn 95 oed.

This is a lovely traditional recipe given to me be by my cousin Elspeth. She brought a batch over for afternoon tea one day, and I found I really couldn't stop eating them, which is quite unusual for me! So, I asked for the recipe, and here it is. I hope you don't mind, Elspeth. Maybe this can be in memory of our lovely Dora, Elspeth's mum, who was as fit as a fiddle until she died this year aged 95.

Iâ cnau coco

Rhai bach digon rhwydd i'r plant eu gwneud yw'r rhain. Maen nhw'n gwneud anrhegion hyfryd i Mam neu Mamgu ar Sul y Mamau neu ar ben-blwydd.

> 260g blawd cnau coco
> 120g siwgwr eisin, wedi'i hidlo
> 1x tun 397g o laeth cyddwys
> 3 llond llwy de o rinflas mintys poethion neu rinflas arall
> diferyn neu ddau o liw bwyd pinc

 Arbrofwch gyda lliwiau/blasau gwahanol – gwyrdd a mintys, pinc a dŵr rhosod neu binc naturiol heb unrhyw flas o gwbl – beth bynnag sy'n plesio!

Yn gyntaf, cymysgwch y blawd cnau coco a'r siwgwr eisin at ei gilydd mewn powlen. Ychwanegwch y llaeth cyddwys a throwch yn dda gyda llwy bren.

Rhowch hanner y gymysgedd mewn powlen lân ac ychwanegwch y rhinflas a'r lliw ato.

Rhowch yr hanner heb liw, ar waelod tun neu flwch plastig wedi'i leinio gyda phapur pobi neu haenen lynu. Gorchuddiwch gyda darn arall o haenen lynu cyn ei roi yn yr oergell am 10-15 munud.

Yna, tynnwch yr haenen lynu a thywallt y gymysgedd binc ar ei ben. Rhowch y caead yn ôl a'i ddychwelyd i'r oergell am o leiaf 4-5 awr i galedu.

Torrwch yn giwbiau cyn gweini.

 Rhowch gwpl ohonynt mewn bagiau bach seloffen, ar gael o siopau crefft, rhowch neges bersonol ar label a'i glymu gyda rhuban pert.

Coconut ice

These are very easy to make. Help the very young make a batch as a gift for Mum or Grandma for Mother's Day or her birthday.

> 260g desiccated coconut
> 120g icing sugar, sifted
> 1x397g tin of condensed milk
> 3 teaspoons of peppermint or other flavoured extract
> a few drops of pink food colouring

 Use flavours and colours of your choice – you could use mint extract with green colouring and rose with pink or simply keep the pink colour natural, without any flavouring – whatever takes your fancy!

Mix the coconut and the icing sugar together in a bowl. Add the condensed milk and mix thoroughly with a wooden spoon.

Put half the mixture into a separate bowl and mix in the flavouring and colouring.

Put the uncoloured half into the bottom of a small tin or plastic container lined with parchment or cling film. Cover the top with more cling film and place in the fridge for 10-15 minutes.

Then, remove the cling film and pour the pink mixture on top. Replace the cling film and return to the fridge, leaving to set for at least 4-5 hours.

Cut into cubes before serving.

 Place a few of these in a little cellophane bag, available in craft shops, and add your personal message on a decorated tag, tied with ribbon.

Cawl cyflym cynnes: ffa a thomato

Pan fo angen rhywbeth cyflym a chyfleus i gynhesu pawb ar ôl bod yn chwarae yn yr eira, mae'r rysáit hon yn ddelfrydol. Daw'r rhan fwyaf o'r cynhwysion o'r cwpwrdd tuniau (ein henw ni ar y storfa yn ein tŷ ni). Rwy'n llenwi'r cwpwrdd gyda stoc o gynhwysion mewn tuniau – y rhai sy'n ddefnyddiol mewn argyfwng yn y gegin, yn enwedig rhai sy'n gwneud pryd cyflym pan nad oes amser i wneud unrhyw beth arall.

> 1 tun tomatos, wedi'u torri
> 1 tun ffa cymysg mewn saws tomato sbeislyd
> 1 carton bach passata
> 300 ml stoc llysiau
> 1 winwnsyn mawr wedi'i dorri'n fân
> halen a phupur du
> chilli ffres wedi'i dorri'n fân – dewisol

Mae hwn yn syml iawn i'w wneud.

Ffrïwch y winwnsyn mewn llond llwy ford o olew llysiau nes ei fod wedi meddalu ond heb frownio. Ychwanegwch y tomatos, y stoc, y ffa a'r passata a'u troi. Mudferwch ar wres cymedrol. Ychwanegwch binsiad o halen a phupur a chymaint o chilli sydd at eich dant.

 Daw'r ffa cymysg yn eu tun wedi'u sbeisio'n barod, felly does dim angen ychwanegu atynt. Pryd perffaith ar gyfer diwrnodau prysur, pan rydych chi o dan bwysau efallai, ac mae'n addas i lysieuwyr hefyd.

Gweinwch gyda bara cartref i'ch cynhesu amser te neu fel trît i ginio ar ddiwrnod oer.

Winter warmer: Quick bean and tomato soup

This is such a simple cheat's recipe for a delicious soup which is ideal to prepare quickly when you've all come in from playing in the snow and need something to warm you up. Most of the ingredients come from the store cupboard, (known as the tin cupboard in our house). I like to stock up on certain tinned ingredients, the ones that will always come in useful as a last resort or for a quick meal when there's no time for anything else.

> 1 tin tomatoes, chopped
> 1 tin mixed beans in spicy tomato sauce
> 1 small carton of passata
> 300ml vegetable stock
> 1 large onion finely chopped
> salt and ground black pepper
> fresh chilli, finely chopped – if desired

This is so simple to make.

Fry the onion in a tablespoon of vegetable oil until softened but not browned. Add the tomatoes, stock, beans and the passata and stir. Allow to simmer over a low heat. Season with salt and pepper and add as much chilli as you like!

The tinned mixed beans come already spiced so you don't need to worry about adding spices; it's all done for you. Perfect for those stressful busy days, this dish is also suitable for vegetarians.

Serve with homemade bread for a lovely warming tea or lunch time treat on a cold day.

Cwmwl wy

Gwahanwch felynwy o'r gwynwy. Ceisiwch ei gadw'n gyfan a'i roi o'r neilltu.

Chwisgwch y gwynwy (fel y gwnewch wrth wneud meringues). Mae'n haws defnyddio chwisg drydan ond gwneith chwisg law y tro. Os am ychwanegu blas cig moch, winwns, cennin syfi neu gaws, trowch nhw i mewn yn ofalus nawr.

Ceisiwch gadw cymaint o aer ag sy'n bosib yn y gwynwy wrth ei osod mewn siâp cwmwl ar dun crasu gwastad gan adael pant bach yn y canol. Rhowch mewn ffwrn boeth (230°C / 210°C (ffan) / 450°F / nwy 8) am 5 – 6 munud.

Rhowch y melynwy yn y pant yn y canol ac yn ôl ag e i'r ffwrn am 3 munud cyn gweini.

Cloud eggs

Separate an egg. Try and keep the yolk whole, you'll need it later.

Whisk the egg white (as if you were making meringues). This is easier with an electric whisk but a hand whisk will do. If you want to flavour your egg with bacon, onion, chives or cheese, carefully fold them in.

Again, without deflating your whipped egg white, place it in a cloud shape on a baking tray, leaving a small dip in the middle where the yolk will be added later. Bake in a hot oven (230°C / 210°C (fan) / 450°F / gas mark 8) for about 5-6 minutes.

Finally drop the egg yolk in the middle of the cloud and return to the oven for 3 minutes before serving.

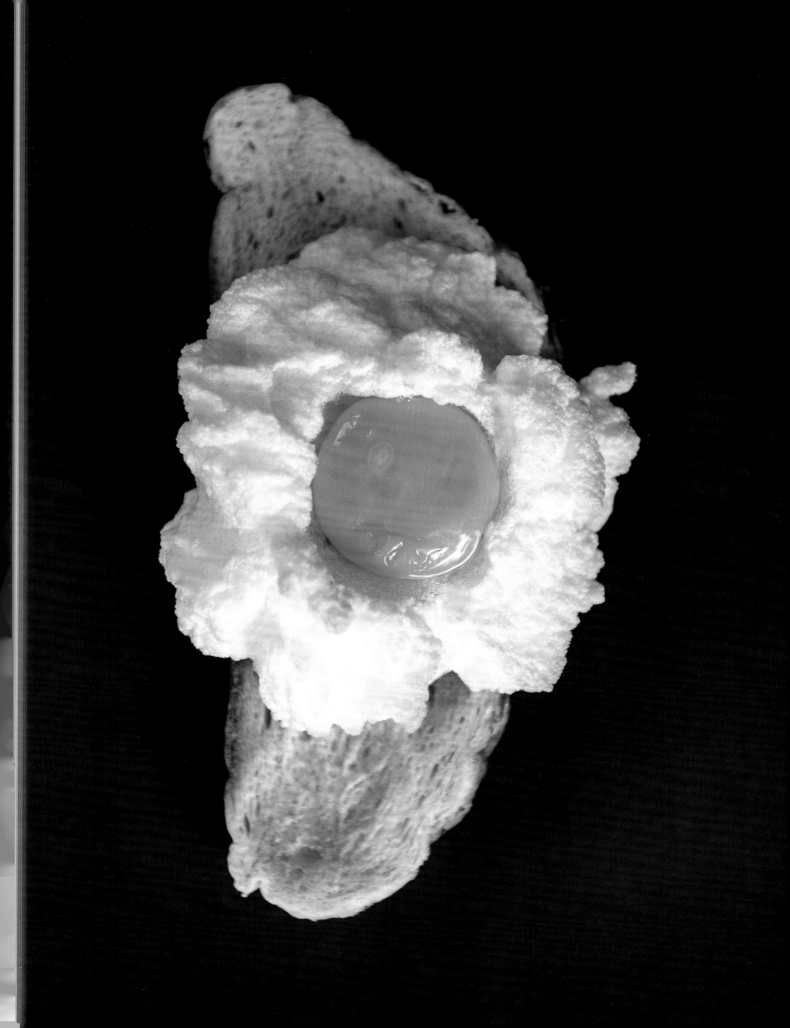

Ewyn cappuccino

Os oes gennych chi beiriant gwneud coffi cappuccino yna rhowch hanner cwpanaid o laeth mewn jwg a'i stemio nes daw ewyn braf i'r top. Os nad oes peiriant o'r fath gennych yn eich tŷ chi, mae'n dal yn bosib gwneud ewyn gwych i roi ar ben eich cappuccino neu siocled poeth, ond cofiwch ddefnyddio llaeth sgim neu hanner sgim – mae'r ddau'n gwneud gwell ewyn na llaeth cyflawn.

Yn gyntaf, rhowch ychydig o laeth mewn pot jam.

Llenwch gyda'r un faint o laeth y byddwch yn ei roi ar ben eich coffi. Trowch y caead yn dynn a'i ysgwyd am tua munud nes bod ewyn yn ffurfio.

Agorwch y pot a'i roi mewn popty ping am 30 eiliad i dwymo'r llaeth a sefydlogi'r ewyn ddigon i chi ei ddefnyddio cyn iddo ddiflannu yn ôl i mewn i'r llaeth.

Defnyddiwch yr ewyn ar ben coffi neu ddiodydd siocled poeth. Iym!

Cappuccino foam

If you have a milk steamer, place half a cup of milk in a jug, or mug and steam until a thick foam appears. If you don't have a milk steamer, you can still make amazing foam for your hot chocolate or cappuccino, but use skimmed or semi-skimmed milk, as it foams far better than full fat milk.

Pour some milk into a clean jam jar.

Fill with as much milk as you'd like on top of your coffee. Now place the lid on tightly, and shake for about a minute until foam has formed.

Open the jar and microwave for 30 seconds. This will warm the milk and stabilise the foam, allowing you time to use it before it disappears back into the milk.

Use the foam to top coffees and hot milky drinks. Yum!

Siocled poeth trwchus

I wneud powdr siocled poeth blasus o drwchus yn y dull Sbaenaidd:
Mesurwch 3 llond llwy de o flawd corn ar gyfer pob 4 llond llwy de o'ch powdr siocled arferol. Cymysgwch yn dda a'i storio mewn tun neu gynhwysydd aerglos.

I wneud diod:
Rhowch tua 4 llond llwy de o'r powdr mewn sosban. Ychwanegwch gwpanaid llawn o laeth a'i gymysgu'n dda. Twymwch dros wres cymedrol a'i droi neu chwisgo nes bod y siocled yn tewhau.

Arllwyswch i fyg a'i weini'n syth.

Bydd angen llwy arnoch chi. Mae'n drwchus!

 I greu blas siocled mwy tywyll: 3 llond llwy de o flawd corn, 3 llond llwy de o bowdr siocled, 1 llond llwy de o bowdr coco.

Thick hot chocolate

To make a deliciously thick Spanish-style hot chocolate powder:
Add 3 teaspoons of cornflour for every 4 full teaspoons of your usual hot chocolate powder. Mix well and store in an airtight tin or container.

To make the drink:
Place about 4 teaspoons of the chocolate powder mix into a saucepan. Add 1 full cup of milk and mix well. Place over a medium heat and stir or whisk continuously until the hot chocolate becomes quite thick.

Pour into a mug and serve immediately.

You may need a spoon for this one, it really is thick!

 For a darker chocolate flavour: 3 teaspoons of cornflour, 3 teaspoons of chocolate powder, 1 teaspoon of cocoa powder.

tip Gwnewch ewyn llaeth (fel uchod) a rhowch lwyaid ohono ar ben y ddiod siocled trwchus i greu copaon capiau gwynion neu fynyddoedd iâ!

tip Make a milk foam (as above) and add a spoonful to the top of your thick chocolate drink to create snow topped mountains or floating icebergs.

I gadw dwylo bach yn brysur

Gwnewch blufyn eira

Cymerwch ddarn sgwâr o bapur gwyn (lliw eira!) a'i blygu o gornel i gornel i wneud siâp triongl.

Plygwch yn ei hanner eto i wneud triongl llai.

Plygwch eto i wneud triongl llai fyth.

Pinsiwch y plyg hwn yn galed ar ei hyd yna agorwch y papur unwaith i ddatgelu crych i lawr canol y triongl blaenorol.

Plygwch y ddwy ochr i gwrdd yn y canol i gyfateb â'r crych– fel pan fyddwch yn gwneud awyren bapur.

Plygwch yn ei hanner i lawr y crych canol eto.

Yna, gyda siswrn, torrwch y triongl lleiaf i ffwrdd ac ewch ati i dorri siapau yn y papur.

 Gallwch ddefnyddio stampiau torri papur neu dyllwr papur, neu dilynwch y cynlluniau (isod).

Yn ofalus iawn, agorwch y papur.

A dyna ni – plufyn eira!

 Mae'n syniad ymarfer gyda phapur newydd i arbed y papur gorau nes eich bod wedi perffeithio'r grefft. Mae papur wal pert yn gwneud pluf eira lliwgar.

To keep you busy

How to make a snow flake

Start with a square piece of white paper (snowflake colour!) and fold in half to form a triangle.

Fold in half again to form a smaller triangle.

Now fold again to form an even smaller triangle.

Make a deep fold in the paper along the last fold you made and then re-open, to reveal a crease down the centre of the triangle.

Fold both sides into the middle, lining up with the crease, as if you were making a paper aeroplane.

Fold in half, down the centre crease.

Using sharp scissors carefully snip off the smaller triangle and discard, then make cuts into the paper.

 You could use paper cut-out stamps or a hole punch or follow the designs (below).

Carefully open, trying not to tear, the now-delicate piece of paper.

You should have a pretty snowflake!

 Try using newspaper to practise, and save the best paper for when you have mastered the process. Pretty wallpaper works well too.

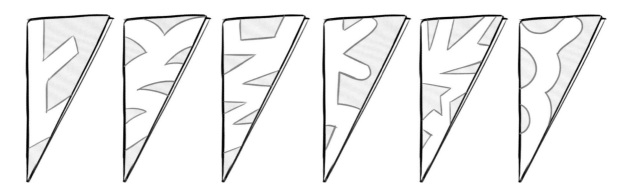

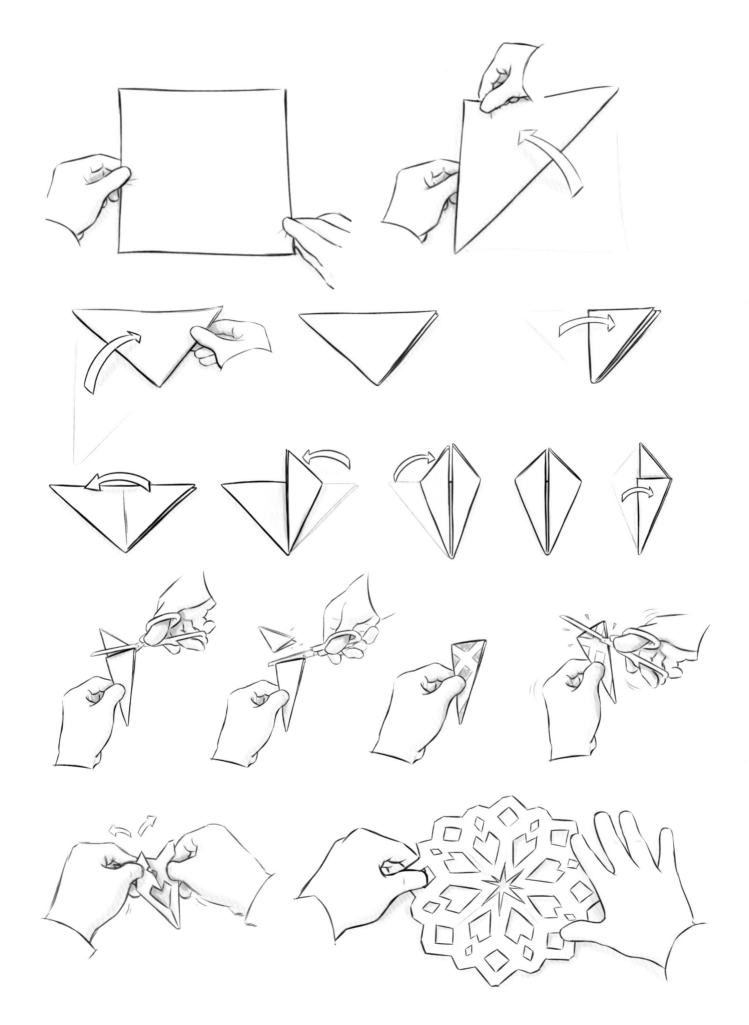

Toes eira

Er nad yw toes hallt yn dda i'w fwyta, mae'n sbort ei wneud heb orfod coginio rhywbeth. Ar ôl treulio bore llawn hwyl yn yr eira, mae gwneud y rysáit yma'n ffordd dda i demtio'r plant yn ôl i'r tŷ i dwymo a chael cinio. Defnyddiwch y toes i fowldio siapau neu ei rolio cyn torri sêr, calonnau, botymau neu blu eira. Sychwch y toes yn araf a'i addurno i weddu'r achlysur.

> ½ cwpanaid o halen
> ½ cwpanaid o ddŵr
> 1 cwpanaid o flawd
> 1 llond llwy ford o glitar arian

Rhowch yr halen a'r blawd mewn powlen. Ychwanegwch y dŵr yn raddol a'r glitar i wneud iddo edrych yn rhewllyd. Dyle'r toes fod yn eithaf sych. Tylinwch y toes a'i rolio cyn ei ddefnyddio fel bo'r angen.

Wedi bodloni ar eich siapau, mae angen eu sychu. Gwnewch hyn mewn ffwrn am tua 2-3 awr ar dymheredd isel rhag ofn iddyn nhw losgi – neu gadewch nhw mewn ystafell dwym ar bwys gwresogydd.

Ar ôl sychu'n llwyr, addurnwch gyda phaent a glitar.

 Siapau bach gwastad sydd orau am eu bod yn sychu'n gynt. Mae'n well osgoi gwneud siapau mawr trwchus.

Snow dough

Although salt dough isn't edible, it's fun to make and involves no cooking. After a fun morning in the snow, making these salt dough snow balls is a perfect way to entice your little ones indoors for lunch and to warm up. Use the dough to make shapes, or roll it out and use cookie cutters to make snowflakes and stars, hearts or buttons. Dry out the dough slowly and then decorate to suit the season.

> ½ cup of salt
> ½ cup of water
> 1 cup of flour
> 1 tablespoon of silver glitter

Pour the salt and flour into a bowl. Stir in the water, adding it slowly, and then add glitter to make it look icy. The dough should be quite dry. Knead the dough and then roll out and use as required.

Once you have made the shapes you want, you need to dry them. This can be done in the oven which takes around 2-3 hours on a low heat so that they don't burn – or just leave them in a warm room near a radiator.

Once dry, decorate with paint and glitter.

 Smaller, flatter shapes work best as they dry out faster. Avoid big chunky shapes.

Dydd Mawrth Pancos

Diwrnod Fflip-fflop!

Mae pawb yn dwlu ar bancos yn ein tŷ ni; rhai tenau y gallwch chi eu rholio a rhai mwy fflwffog, trwchus, ac fe fwytawn ni nhw ar unrhyw adeg gyda phob math o lenwad.

Mae pancos yn un o'r bwydydd mwyaf hyblyg y gallwch ei goginio. Maen nhw'n berffaith i fwydo plant neu sbwylio pawb yn glou amser te. Maen nhw'n gallu bod yn syml neu'n gallu bod yn ffansi – yn felys neu'n sawrus ac yn barod mewn ychydig o funudau. Maen nhw mor flasus, mae'n biti eu bwyta nhw ar un diwrnod yn unig!

Dydd Mawrth Ynyd neu Mardi Gras (Dydd Mawrth Tew!) yw'r diwrnod olaf cyn y Grawys, sef cyfnod hir, 40 diwrnod, o ymprydio a dwys fyfyrio cyn dyfodiad y Pasg. Dyma oedd y cyfle olaf am sbel, i fwyta'n dda a defnyddio'r bwydydd ffres neu fras oedd ar ôl yn y pantri. Nawr, mae Dydd Mawrth Pancos yn gyfle i ni i gyd fwynhau!

Pancake Day

Flipping amazing!

Our family loves pancakes, the thin rolled ones and the thick fluffy ones and we'll eat them any time of day with all sorts of fillings.

Pancakes must be one of the most versatile foods you can cook. They're perfect for filling up the children or spoiling yourself with a quick treat at tea time. Jazz them up or just roll them up. Sweet or savoury pancakes can be made in minutes and not just on Pancake Day.

Shrove Tuesday or Mardi Gras (literally, Fat Tuesday), is the last day before Lent, a period of 40 days of fasting and reflection before Easter. This was the last chance to eat well for a while, when all the fresh, rich foods were used up. Pancake Day has now become a national day for all to enjoy.

Pancosen ddi-ffwdan

Does dim angen doethuriaeth mewn mathemateg i ddeall y fformiwla ganlynol:

1 cwpanaid o laeth + 1 cwpanaid o flawd + 1 wy + diferyn o fenyn twym = Pancosen! Rhwydd.

Y tip gorau wrth wneud pancos:

Does dim byd yn bod ar ddefnyddio chwisg... Ond dyma ddull anhygoel o rwydd a chyflym i gymysgu'ch cytew: defnyddiwch bot jam mawr neu botel ysgytlaeth. Mae 'na declynnau o bob math i'w cael mewn siopau sy'n fwy na bodlon gwerthu unrhyw beth i chi, ond mae hen bot jam yn gwneud y tro'n iawn. Gallwch chi hefyd gadw'r pot yn yr oergell nes bod angen y cytew arnoch.

Peidiwch ag anghofio....
Mae cytew pancosen wastad yn blasu'n well y diwrnod wedyn, felly mae'n talu ei wneud y noson gynt neu wneud dwbl yr hyn sydd ei angen arnoch. Os yw'n gwahanu yn y pot jam, rhowch siglad da iddo yn y bore neu cyn ei ddefnyddio.

Fflipio heb stop ar ddiwrnod Fflip-Fflop

Beth am gael cystadleuaeth fflip-fflop ar ddydd Mawrth Pancos? Gwnewch bentwr o bancos trwchus ymlaen llaw. Defnyddiwch hen ffrimpanau a rhowch bancosen oer ymhob un i weld sawl fflip gall bawb wneud mewn munud!

 Y ffrimpan ddelfrydol yw'r un sy'n wastad gydag ymyl bach sy'n troi ychydig i wyro'r bancosen.

Rhybudd: Mae'n anos fflipio gyda ffrimpan ddofn.

Basic no-messing pancake

You don't have to be a maths genius to follow this formula:

1 cup of milk + 1 cup of flour + 1 egg + a drizzle of melted butter = Pancake! Simple.

No 1 tip for pancakes

If you like using a whisk that's fine... But, for a ridiculously quick and easy, foolproof way of mixing your batter, use a protein shake bottle or a large jam jar. You can, of course, buy a purpose made pancake shaker – there are shops that will sell you anything and everything – but a jam jar will also do the trick. The batter can then be stored in the jar and put in the fridge until you need it.

Don't forget...
Pancake batter is always better the next day, so either plan ahead and make it the night before, or make a double batch. If it separates overnight, just give it another shake in the morning, or before using.

A flipping fun time

Don't forget that you can have a flipping great Pancake Day competition. Make a batch of thick pancakes in advance. Get out a few of your older frying pans, place a cold pancake in each one and see how many flips your family and friends can do in a minute.

 The ideal flipping pan is flat with a tiny curved edge to guide the pancake.

Warning: A deep pan is difficult to use as it doesn't allow the pancake to flip so easily!

Pancos trwchus

Dilynwch y rysáit yma i wneud pancos bach y gallwch chi eu gorchuddio â ffrwythau neu surop masarn am frecwast bendigedig a llun ffantastig hefyd!

> 150g blawd codi
> 1 llond llwy de o bowdr pobi
> 1 wy
> 150ml llaeth
> 25g menyn
> 2 lond llwy ford o siwgwr mân
> llus neu eich hoff aeron

Gwahanwch yr wy. Ychwanegwch y llaeth at y melynwy a'i droi yn dda. Rhowch y blawd codi, y powdr pobi a'r siwgwr mewn powlen fawr, ychwanegwch y gymysgedd wy/llaeth a chwisgwch i wneud cytew trwchus. Yna, curwch y gwynwy nes ei fod yn stiff, a'i blygu i mewn i'r cytew nes ei fod wedi'i gymysgu'n dda.

Rhowch ychydig o'r menyn mewn ffrimpan neu ar radell a rhowch lond llwy bwdin o'r cytew yn y badell/ar y radell. Taenwch ychydig o lus neu ffrwythau tymhorol arno a gadewch iddo goginio. Pan fo'r gwaelod yn euraid, trowch y pancos a'u ffrio am funud neu ddwy eto. Tynnwch o'r badell a'u rhoi rhywle twym. Coginiwch y gweddill. Mae'n bosib ffrio 2 neu 3 ar y tro os yw eich ffrimpan yn ddigon mawr.

Taenwch fwy o lus a siwgwr ar ben bob un... Blasus!

Mae pancos yn gwneud pryd bach cyflym ar ôl ysgol ac mae'r plant wedi hen arfer clywed eu mam yn dweud, hyd nes ein bod ni'n eu llenwi, mae pancos yn sawrus, llawn daioni ac yn llenwi boliau bach. Peidiwch â mynd dros ben llestri gyda siwgwr a phâst siocled a gwnân nhw bryd bach eithaf iach. Gyda llond dwrn o gynhwysion syml, powlen a chwisg yn ei law, gall blentyn baratoi cytew i de.

Fluffy pancakes

Follow this recipe to make little pancakes which you can top with fruit or drizzle with maple syrup for a great photo and an amazing breakfast.

> 150g self-raising flour
> 1 teaspoon of baking powder
> 1 egg
> 150ml milk
> 25g butter
> 2 tablespoons of caster sugar
> blueberries or your favourite berries

Separate the egg. Add the milk to the egg yolks and stir well. Place the self-raising flour, the baking powder and sugar in a large mixing bowl and add the milk and egg mixture – whisk to form a thick batter. Then whisk the egg whites until stiff and carefully fold them into the batter until well mixed.

Put a little of the butter into a frying pan (or on to a hot plate) and spoon a dessert spoon full of batter into the pan. Sprinkle with a few berries or any other seasonal fruit and allow to cook. Turn the pancakes when the underside is golden and cook for a further minute or two. Remove from the pan and keep them somewhere warm while you cook the rest. You may be able to cook 2 or 3 at once depending on the size of your pan.

Sprinkle the pancakes with sugar and blueberries... Delicious!

Pancakes are a great after-school snack and, as I tell the children, until we've added the toppings, they are completely savoury, full of goodness and very filling. Hold back on the sugar and the chocolate spread and you have yourself a reasonably healthy snack. With only a handful of basic ingredients, a bowl and a whisk most children can easily prepare a batter for tea.

Pancos Banana

Un o'r llu o ffefrynnau yn ein tŷ ni, defnyddiwch y pancos yma fel rhan o frecwast perffaith. Crëwch awyrgylch a chael bach o sbort trwy wrando ar 'Banana Pancakes' gan Jack Johnson wrth i chi eu coginio a'u bwyta.

Mae dwy ffordd o wneud y pancos anhygoel yma:

Naill ai – gwnewch gytew yn y ffordd arferol gan ychwanegu un banana wedi'i falu iddo cyn ffrio, neu – ychwanegwch fanana wedi'i sleisio wrth i'r cytew goginio yn y ffrimpan. Ar ôl eu coginio, cadwch y pancos yn dwym o dan ddarn o ffoil. Yna rhowch ragor o fanana wedi'i sleisio yn y ffrimpan ac wrth ei dwymo, arllwyswch ychydig o surop masarn neu fêl drosto. Rhowch y pancos ar blât a'u gweini gyda'r banana ychwanegol ar ben y cyfan. Hyfrydbeth!

Banana pancakes

Create the perfect breakfast with these lovely banana pancakes... another of our family favourites. Set the scene and have some fun by listening to Jack Johnson's famous 'Banana Pancakes' as you cook and tuck in.

To make these wonderful pancakes, you can do one of two things:

Either make the batter as usual and add one mashed banana before cooking or make a batter and after placing the batter in the pan, as it's cooking, add sliced banana. Once the pancakes are cooked, keep them warm under a layer of foil. For both methods, add more sliced banana to the frying pan, warm the banana, add a drizzle of honey or maple syrup and serve the pancakes with the extra sweetened banana on top. Delish!

 Os yw hwn yn swnio'n rhy felys, gweinwch gyda ffrwythau ffres wedi'u torri ac aeron gyda iogwrt a mêl gydag ychydig o hadau iachus fel pwmpen, blodyn haul, llin, sesami neu chia.

 For a healthier version, serve the pancakes with chopped fresh fruit and berries with honey-sweetened yoghurt and a sprinkling of nutritious seed such as pumpkin, sunflower, flax, sesame and chia.

Crêpes Ffrengig clasurol

3 wy mawr
2¹⁄₃ cwpanaid o laeth
¼ cwpanaid o siwgwr
1 llond llwy de o rinflas fanila
pinsiad o halen
2¹⁄₃ cwpanaid o flawd (300g)
menyn ar gyfer y ffrimpan

Cyfunwch bob un o'r cynhwysion mewn powlen fawr a'u chwisgo'n dda i ffurfio cytew. Gadewch iddo orffwys am 10 munud er mwyn i'r lympiau ddiflannu ac i'r blawd amsugno'r llaeth. Mae'r siwgwr yn helpu cael lliw hyfryd ar y crêpes yn ogystal â'u melysu. Peidiwch â'u gwneud yn rhy fach. Llenwch y ffrimpan i'r ymylon a throwch y pancos unwaith mae'r gwaelod yn troi'n euraid.

Yn lle rholio'r crêpes, plygwch nhw yn y dull traddodiadol.

Gorchuddiwch y crêpe gyda'ch dewis o lenwad, (pâst siocled, lemwn a siwgwr, menyn a siwgwr, jam, banana ...) yna plygwch yn ei hanner, unwaith, ddwywaith ac unwaith eto cyn gweini.

Bon appétit!

Dim glwten

Pan ddefnyddir *blé noir* – blawd du neu flawd gwenith yr hydd – gelwir y bancosen yn *galette*, pancosen sawrus, ddi-glwten, sy'n gwneud pryd ysgafn neu ginio blasus. Ychwanegwch gig moch, ham, caws neu fadarch, plygwch yr ochrau at y canol, meiddiwch osod wy ar y cyfan – a dyna chi: *galette* Lydewig nodweddiadol. Rwy'n dwlu arnyn nhw.

 Gan nad oes glwten mewn blawd gwenith yr hydd, fe allwch chi ychwanegu ychydig o flawd plaen i arbed chwalu'r cytew, ond cofiwch, nid pryd di-glwten mohono wedyn.

 Gwenith yr Hydd – nid gwenith mohono o gwbl, nac unrhyw fath o laswellt. Mae'n perthyn i suran, clymog Japan a rhiwbob.

Classic French crêpes

3 large eggs
2¹⁄₃ cups of milk
¼ cup of sugar
1 teaspoon of vanilla essence
a pinch of salt
2¹⁄₃ cups of flour (300g)
some butter for the pan

Simply combine all of the above ingredients in a large bowl and whisk well to form a batter. Allow to stand for 10 minutes or so for the flour to fully absorb the milk and for any lumps to disappear. The addition of sugar in this recipe helps the crêpes to colour nicely and obviously gives a lovely sweetness to the pancake. Don't try and make them too small. Fill the pan and spread to cover the whole base. Turn them once when the underside is golden.

For traditional crêpes, don't roll them, but fold them.

Cover the crêpe with your choice of filling, (chocolate spread, lemon and sugar, butter and sugar, jam, banana...) then fold it in half, in half again and then one more fold before serving.

Bon appétit!

Gluten free

When pancakes are made with a *blé noir* – a black flour we know as buckwheat flour – they become a *galette*, a very tasty gluten-free savoury pancake served as a light meal or lunch. Add bacon, ham, cheese or mushrooms, fold all sides to the centre and add an egg (if you dare) to the middle for a typical Breton *galette*. I love them.

 As the buckwheat flour is totally gluten-free, a little plain flour is often added to help the batter hold together, though obviously you'd want to omit this to keep things gluten-free.

 Buckwheat – Despite the name, buckwheat is not related to wheat, as it is not a grass. Instead, buckwheat is related to sorrel, knotweed and rhubarb.

Crêpes Croque Monsieur

Pan fo angen swper syml yn gyflym:

Rholiwch ham a chaws mewn pancosen i wneud pryd o fwyd blasus.

Twymwch y ffwrn i 200°C / 180°C (ffan) / 400°F / nwy 6.

Gwnewch nifer o crêpes gan ddilyn y rysáit uchod, yna ychwanegwch saws ham a chaws (rysáit isod) i ganol bob un. Rholiwch nhw a'u gosod ar dun crasu gwastad. Taenwch gaws Cheddar neu Parmesan wedi'i gratio ar eu pennau cyn eu pobi am 10 munud neu eu grilio nes eu bod nhw'n euraid. Syml!

Croque Monsieur crêpes

Need a quick and simple supper?

Roll up some ham and cheese in a pancake for a delicious yet simple meal.

Preheat the oven to 200°C / 180°C (fan) / 400°F / gas mark 6.

Make a batch of crêpes using the recipe above, then add some delicious ham and cheese sauce (recipe below) to the centre of each pancake, roll up and place on a baking tray, sprinkle with some grated Cheddar or Parmesan and bake for 10 minutes or place under the grill until golden. Simple!

Saws syml ham a chaws

1 llond llwy ford o fenyn
1 llond llwy ford o flawd corn
1 cwpanaid (240ml) o laeth twym
pupur du
1 cwpanaid o ham wedi'i dorri'n fân
1 cwpanaid o gaws Cheddar aeddfed neu Parmesan wedi'i gratio

Toddwch y menyn mewn sosban dros wres cymedrol. Ychwanegwch y llaeth a'r blawd corn a chwisgwch nes bod y cyfan yn llyfn. Gostyngwch y gwres a throwch y saws gyda llwy bren nes ei fod yn tewhau. Ychwanegwch yr ham a'r caws a chymysgwch yn dda. Rhowch o'r neilltu.

Dewisol: Ychwanegwch flaen llwyaid o fwstard.

Trowch lond dwrn o sbigoglys i mewn i'r saws a'i goginio am funud, neu rhowch y saws ar ben y sbigoglys cyn grilio.

Iachus a maethlon!

Easy ham and cheese sauce

1 tablespoon of butter
1 tablespoon of cornflour
1 cup (240ml) of warm milk
black pepper
1 cup of cooked ham, chopped
1 cup of mature Cheddar or Parmesan cheese, grated

Melt the butter in a saucepan over a medium heat. Pour in the milk and the cornflour and whisk until smooth. Then reduce the heat to low and stir with a wooden spoon for about 5 minutes, until the sauce thickens. Add the ham and cheese and stir well. Set aside.

Optional: Add a tip of a spoon of mustard.

Stir in a handful of spinach with the ham and cheese and cook for 1 minute, or place the cheese mixture on top of the spinach before grilling.

Healthy and nutritious!

Dydd Gŵyl Dewi

Rwy'n dwlu ar Ddydd Gŵyl Dewi

Mae gen i atgofion melys o wisgo lan fel hen fenyw fach Cydweli, yn fy ngwisg Gymreig i fynd i'r ysgol, a'r ystafell yn gwynto mwy fel cae winwns na dosbarth. Rwy'n gallu cofio treio cnoi'r genhinen enfawr oedd yn sownd yn fy siôl drwy'r bore. Mae'n rhaid bod gwynt arbennig arnon ni i gyd! Nawr, rwy'n cyffroi wrth weld mis Mawrth yn nesáu ac addewid dechrau tymor newydd, y dyddiau'n ymestyn a gwres yr haul yn ein cynhesu.

Mae mwy nag un rysáit wedi helpu i roi Cymru ar y map. Dwedwch wrth unrhyw un eich bod chi'n dod o Gymru ac mewn chwinciad bydd rhywun yn sôn am gawl neu bice ar y maen. Mae 'na ryseitiau eraill fel selsig Morgannwg, bara lawr neu gaws pob, wrth gwrs, ond ar Ddydd Gŵyl Dewi mae'n rhaid cael cawl a phice bach.

Dyma fy rysáit am gawl syml, ysgafn, blasus, y gallwch chi fwyta llawn basnaid ohono gyda bara cartref a thalp o gaws cryf. Ond, beth am roi syrpreis i bawb trwy osod caead crwst arno a'i wneud yn bastai cawl?

St David's Day

I love St David's Day!

I have fond memories of dressing up in my traditional Welsh lady skirt and shawl, and spending all day in a classroom that smelled more like an onion patch than a school; memories of trying to attach an enormous leek to my shawl and munching on it all morning. We must have smelled divine! Now, I get excited about the arrival of March and the beginning of a new season, longer, brighter days, and a warming sun.

There are certain recipes that have put Wales on the map. Tell people that you're Welsh and someone's bound to mention cawl and Welsh cakes. There are other recipes, of course, like Glamorgan sausages, laverbread and Welsh rarebit, but on St David's Day, cawl and Welsh cakes are a must.

Here is my simple light and tasty cawl recipe, which can be served as it is, in a deep bowl with fresh bread and a chunk of hard strong cheddar. If you want to surprise everyone, how about adding a pastry crust and making it into a delicious ham cawl pie?

Pastai cawl cig oen neu ham

Gwnewch y cawl yn gyntaf

1 kg ffiled gwddf cig oen
NEU 1 darn bach o ham
NEU becyn o gig moch
2 daten
4 moronen
2 genhinen
1 panasen
1 winwnsyn
½ erfinen
persli wedi'i dorri'n fân
pupur a halen

Dull 1

Rhowch y cig oen mewn sosban fawr a rhowch tua 2 litr o ddŵr berwedig i'w orchuddio. Parhewch i'w fudferwi am 10 – 15 munud arall i'w goginio'n llwyr.

Tra bo'r cig yn coginio, pliciwch y llysiau a'u torri'n ddarnau bychain.

Tynnwch y cig o'r dŵr a'i adael i oeri ychydig cyn ei dorri a'i ddychwelyd i'r sosban ynghyd â'r llysiau a berwch y cwbl am tua 20 munud. (Efallai y bydd angen ychwanegu rhagor o ddŵr.)

Dull 2

Rhowch yr ham mewn sosban fawr, gorchuddiwch â dŵr a'i ferwi. Gostyngwch y gwres a'i fudferwi am tua 45 munud i 1 awr. Ar ôl ei goginio, tynnwch y cig o'r sosban a'i roi o'r neilltu.

Tra bo'r cig yn coginio, pliciwch y llysiau a'u torri'n ddarnau bychain.

Defnyddiwch stoc y cig i ferwi'r llysiau am tua 20 munud (efallai y bydd angen ychwanegu rhagor o ddŵr).

Torrwch yr ham yn ddarnau bychain a'i ddychwelyd i'r sosban cyn gweini.

 Peidiwch ag ychwanegu halen i'r cawl ham cyn ei flasu. Bydd yr ham yn halltu'r stoc ac efallai na fydd angen rhoi halen ychwanegol.

Dull 3

Torrwch y cig moch yn ddarnau bach a'i ffrio mewn ychydig olew ar waelod sosban fawr.

Pliciwch y llysiau a'u torri'n ddarnau bychain cyn eu rhoi yn y sosban gyda'r cig moch. Gorchuddiwch y cyfan gyda tua 2 litr o stoc llysiau neu gyw iâr.

Berwch ac yna mudferwch am tua 20 munud nes bod y llysiau wedi'u coginio.

I weini

Ychwanegwch bersli wedi'i dorri'n fân a'i weini gyda bara crystiog cynnes a chaws aeddfed Cymreig.

 Os oes gormod o saim ar eich cawl cig oen, rhowch y cyfan mewn cynhwysydd yn yr oergell a chodwch y saim sy'n ffurfio a chaledu ar yr wyneb cyn ei aildwymo.

I wneud y cawl yn bastai:

Unwaith mae'r cawl yn barod gallwch chi ei fwyta, wrth gwrs, er byddai rhai'n dadlau ei fod yn blasu'n well yn eildwym. Felly, yn arbennig ar gyfer Dydd Gŵyl Dewi, beth am droi'r cawl yn bastai flasus?

I dewhau'r cawl, rhowch 2 lond llwy ford o flawd corn mewn ⅔ cwpanaid o ddŵr oer a'i gymysgu'n dda. Ychwanegwch hwn fesul dipyn at y cawl wrth ei droi'n gyson.

Wrth iddo ferwi, fe fydd yn tewhau'n raddol, ond parhewch i'w droi i osgoi lympiau. Efallai na fydd angen defnyddio'r blawd corn i gyd, gan ddibynnu ar faint o hylif sydd yn y cawl.

Rholiwch does crwst pwff (o'r siop) a'i dorri i ffitio siâp eich dysgl. Rhowch y cawl yn y ddysgl a'i orchuddio gyda'r crwst pwff. Pinsiwch yr ymylon yn hytrach na'u torri (piti gwastraffu'r crwst hyfryd). Brwsiwch y crwst gyda chymysgedd o wy a llaeth, a rhowch yn y ffwrn i bobi ar 180°C / 160°C (ffan) / 350°F / nwy 4, am tua 30 munud hyd nes bod sglein euraid ar y crwst.

Lamb or ham cawl pie

First of all, make cawl

> 1kg lamb neck fillet
> OR 1 small joint of ham
> OR a pack of bacon
> 2 potatoes
> 4 carrots
> 2 leeks
> 1 parsnip
> 1 onion
> ½ swede
> chopped parsley
> salt and pepper

Method 1

Place the lamb into a large saucepan, cover with about 2 litres of boiling water, simmer for a further 10 to 15 minutes, until cooked through.

While the meat is cooking peel all the vegetables and chop them into small pieces.

Remove the meat from the water and allow to cool slightly before you cut it up and place it back into the pan along with the vegetables and boil until cooked. This should only take about 20 minutes. (You may need to top up the water.)

Method 2

Place the ham into a large saucepan, cover with water and bring to the boil. Once boiling, turn down the heat and simmer for about 45 minutes to 1 hour. Once cooked, remove the meat and place to one side until later.

While the meat is cooking peel all the vegetables and chop them into small pieces.

Add the vegetables to the meat stock and boil until cooked, this should only take about 20 minutes (you may need to top up the water).

Cut the ham into mouth-sized pieces and add to the vegetables before serving.

 The lamb cawl will require salting, but don't add salt to the ham cawl until you've tasted it. It might not be required due to the saltiness of the meat stock.

Method 3

Cut the bacon into small pieces and fry gently in a little oil at the bottom of a large pan.

Peel all the vegetables and chop into small pieces before adding to the bacon. Cover with 2 litres of vegetable or chicken stock.

Bring to the boil and then simmer for about 20 minutes until the vegetables are cooked.

To serve

Add chopped parsley and serve with hot crusty bread and a strong Welsh cheese.

 If you find lamb cawl to be a little fatty, place it in a container in the fridge and skim off the cooled, solidified fat from the surface before reheating.

To make the cawl into a pie:

Once the cawl is made it can be eaten immediately, though many would argue that it always tastes better reheated. For a special St David's Day treat why not turn this amazing leek-rich Welsh soup into a scrumptious pie?

Thicken the cawl by adding 2 heaped tablespoons of cornflour to ⅔ cup of cold water, and mix well. Add the slaked cornflour to the cawl a little at a time, and stir in immediately.

Bring the cawl to the boil, and it will gradually thicken, but keep stirring to avoid lumps. You may not need all the cornflour, it depends on how much liquid you have.

Roll out some shop-bought puff pastry, and cut to match the size and shape of your pie dish. Place the cawl in the dish and cover with the puff pastry. Simply scrunch up the edges for a rustic look (it's a shame to cut off all that lovely pastry). Brush the top of the pastry with an egg wash, a mixture of egg and milk, and bake in the oven at 180°C / 160°C (fan) / 350°F / gas mark 4 for about 30 minutes until the pastry glows golden brown.

tip Teimlo'n greadigol? Torrwch siapau cennin o'r toes sy'n weddill i'w rhoi ar dop y pastai. Rhybudd: Mae'n dasg eithaf anodd, ac efallai bod dail neu lythrennau yn haws eu gwneud. Neu – ricriwtiwch y plant i wneud hyn!

tip If you have children, (or you're feeling arty) cut out some leek shapes from the leftover pastry and place them on top of the pie. This is quite a challenge, so you may find making leaves or letters a little easier.
You have been warned!

Y te Cymreig

Pice bach *choc chip* gwyn gyda jam mafon a hufen fanila

Dyma ffordd hyfryd a hwyliog o gyflwyno pice bach ar y maen. Yn addas ar gyfer pobl sydd ddim yn hoff o ffrwythau sych, mae eu golwg nhw'n tynnu dŵr o'r dannedd heb sôn am y blas. A phwy feddyliai bod ein pice bach ni yn gallu gwisgo mor smart? Mae'r rysáit yn gwneud tua 20 picen ac maen nhw'n cymryd tua 20 munud i'w paratoi. Mae angen tua 2 funud i goginio bob ochr o bob picen. Rwy'n gallu coginio 10 ar y tro fel arfer – felly mae'r broses o'u gwneud yn para llai na hanner awr, o olchi dwylo i ddechrau bwyta!

> 225 g (2 gwpanaid) blawd codi
> 110 g (½ cwpanaid) menyn hallt
> 80 g (½ cwpanaid) siwgwr mân
> 50 g (½ cwpanaid) sglodion siocled gwyn
> 1 wy
> diferyn o laeth
> i weini: menyn a siwgwr mân

Hidlwch y blawd a rhwbiwch y menyn ynddo. Ychwanegwch y siwgwr a'r siocled. Curwch yr wy a'i ychwanegu i'r gymysgedd a chymysgwch nes iddi ffurfio'n does. Os yw'n rhy sych ychwanegwch ddiferyn o laeth.

Rhowch flawd ar y ford neu wyneb gweithio a rholiwch y toes nes ei fod tua 5mm o drwch. Torrwch gylchoedd bach neu galonnau neu unrhyw siâp arall. Rhowch nhw ar faen twym, gradell neu mewn ffrimpan i'w coginio ar y ddwy ochr nes eu bod yn euraid. Rhowch ychydig o fenyn arnynt a thaenwch siwgwr mân drostynt a'u bwyta tra'u bod yn dwym.

I wneud te hufen, sleisiwch y pice bach i greu 2 rownd. Rhowch jam mafon a hufen fanila wedi'i guro (rysáit isod) ar un hanner yna rhowch y ddau hanner yn ôl at ei gilydd a'u gweini fel sgons.

Hufen fanila
Chwisgwch botyn bach o hufen dwbl. Rhowch lwyaid ford wastad o siwgwr eisin a llond llwy de o rinflas fanila ynddo. Chwisgwch bopeth eto a'i gadw yn yr oergell.

The Welsh cream tea

White choc chip Welsh cakes with raspberry jam and vanilla cream

This is a delicious and fun way to serve Welsh cakes. A great recipe for those who don't like dried fruit, they look so mouth-wateringly beautiful that no one will ever guess that they're our simple little Welsh cakes 'glammed up'. This recipe makes about 20 cakes, depending on size, and should take about 20 minutes to prepare. Each cake needs to cook for about 2 minutes on each side. I usually cook 10 at a time. So the whole process takes less than half an hour from washing my hands to my first taste.

> 225g (2 cups) self-raising flour
> 110g (½ cup) salted butter
> 80g (½ cup) caster sugar
> 50g (½ cup) white chocolate chips
> 1 egg
> a drop of milk
> butter and caster sugar to serve

Sift the flour and rub in the butter. Stir in the sugar and the chocolate chips. Whisk the egg and add it to the mixture. Then work it into a dough. If the dough is a little dry add a drop of milk.

Roll out the dough on a floured surface to a thickness of about 5mm and cut out small circles or hearts or any shape you like, using a cookie cutter. Place onto a hot bakestone, griddle or frying pan, turn once and cook until golden. Add a little butter, sprinkle with caster sugar, and serve warm if possible.

To make a cream tea, slice the cooled Welsh cakes to create two rounds. Layer one side with raspberry jam and whipped vanilla cream (see below), replace the other half, and serve like scones.

Vanilla cream
To make vanilla cream, whip up a small carton of double cream and sweeten with just a level tablespoon of icing sugar and a cap full of vanilla extract. Whip again to mix the ingredients. Store in the fridge until needed.

tip Does dim byd fel gwynt pice bach yn coginio ar y maen, i ddenu pawb i'r gegin, ac os nad ydych chi'n ofalus, fe fyddan nhw i gyd wedi eu bwyta bron cyn i chi gwpla'u coginio. Gwnewch lawer mwy nag sydd eisiau arnoch!

tip There's nothing like the smell of Welsh cakes cooking on a griddle to attract everybody to the kitchen, and if you're not careful they'll all be eaten in less time than they took to make. Cook more than you need!

Pyffiau caws a ham

Yn hawdd i'w gwneud ac i'w bwyta i frecwast, cinio neu swper.

Defnyddiwch grwst pwff o'r siop a'u coginio gyda'r plant i wneud brecwast moethus, byrbryd cyflym neu hyd yn oed ar gyfer bocsys cinio. Maen nhw'n grisp ond wedi'u llenwi â saws caws sidanaidd. I roi amrywiaeth, neu i ddefnyddio beth sydd yn yr oergell, ychwanegwch rywbeth arall i'r saws. Dewiswch shibwns, asbaragws, sbigoglys, cig moch neu fadarch. Rwy'n siŵr y gallwch chi feddwl am ddigon o syniadau eraill.

> 2 ddalen o grwst pwff
> 2 lond llwy ford o fenyn heb halen
> 2 lond llwy ford o flawd corn
> 2 gwpanaid (500ml) o laeth twym
> pinsiad o halen a phupur du
> ham neu gig moch
> 1 cwpanaid o gaws wedi'i gratio

Rholiwch y toes gan geisio cadw'r siâp petryal. Nawr torrwch y petryal i sgwariau 10 – 13cm.

Does dim byd sy'n haws na'r saws caws yma:
Toddwch y menyn mewn sosban. Ychwanegwch y llaeth a'r blawd corn. Cymysgwch gyda llwy bren. Twymwch ar wres cymedrol a'i chwisgo nes ei fod yn dew a llyfn. Gostyngwch y gwres, ychwanegwch y caws, ham a'ch dewis o gynhwysion ychwanegol. Cymysgwch a'i roi o'r neilltu i oeri am ychydig.

Ar gyfer Dydd Gŵyl Dewi:
Torrwch genhinen yn fân a'i ffrio yn y menyn cyn ychwanegu'r llaeth ac yna dilynwch y rysáit fel uchod.

Gosodwch y sgwariau crwst pwff ar dun crasu wedi'i leinio â phapur pobi cyn llwyo 1 neu 2 lond llwy ford o'r saws caws ar ben bob sgwaryn a thaenu rhagor o gaws wedi'i gratio arnynt. Caewch y pocedi trwy blygu'r corneli at y canol. Brwsiwch y crwst pwff gyda chymysgedd o wy a llaeth neu ddŵr oer a'u rhoi yn y ffwrn ar 180°C / 160°C (ffan) / 350°F / nwy 4, am 20 munud nes bod y crwst wedi pwffio a throi'n euraid. Gweinwch ar unwaith gyda salad crensh.

Cheese and ham puffs

These are so easy to make and are great for breakfast, lunch or supper.

Made with shop-bought puff pastry, these are great to make with the kids for a luxurious breakfast, a quick snack or even for the lunch boxes. They are crispy yet filled with a silky cheese sauce. You can also add other vegetables to the sauce for a little variation, or simply to use up what you have in the fridge. Spring onions are great, but choose from asparagus, spinach, bacon or finely sliced mushrooms. I'm sure you can think of other ingredients to try.

> 2 sheets of puff pastry
> 2 tablespoons of unsalted butter
> 2 tablespoons of cornflour
> 2 cups (500ml) of warm milk
> a pinch of salt and black pepper
> cooked ham or bacon
> 1 full cup of cheese, grated

Roll out the pastry, trying hard to keep the rectangular shape. Now cut the pastry sheet into 10-13cm squares.

For the very easy, very cheesy, cheese sauce:
Melt the butter in a saucepan. Pour in the milk, add the cornflour and mix well with a wooden spoon. Now place over a medium heat and whisk until it thickens and becomes very smooth. Reduce the heat to low. Stir in the cheese, ham and whatever else you fancy. Set aside to cool slightly.

For a very Welsh addition for St David's Day:
Fry a chopped leek in the butter before adding the milk, then continue to make the cheese sauce as explained above.

Arrange the puff pastry squares on a baking tray lined with parchment paper. Spoon 1 or 2 tablespoons of the cheese mixture onto the pastry, top with more grated cheese and close the pockets by folding the corners over. Brush the puff pastry with a little egg mixed with a drop of cold milk or water, and bake in the oven at 180°C / 160°C (fan) / 350°F / gas mark 4, for 20 minutes, until puffed and golden. Serve immediately with a crisp salad.

44

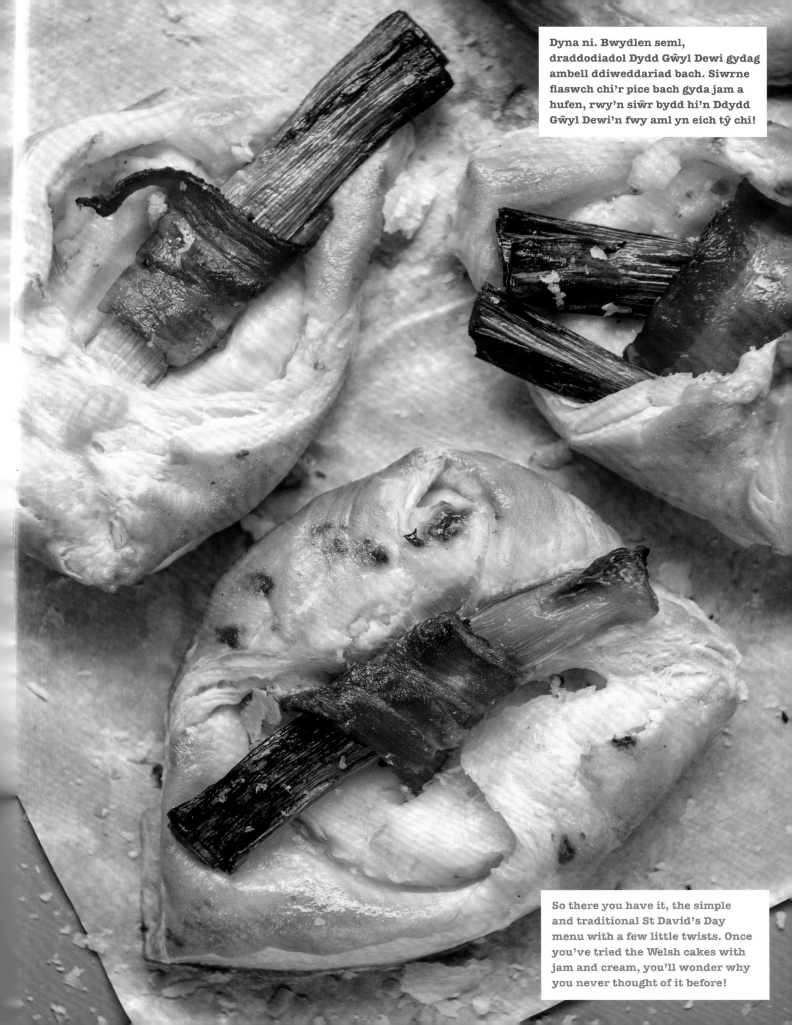

Sul y Mamau

Diwrnod arbennig Mam

Does dim angen diwrnod penodol i sbwylio Mam am y dydd. Dewiswch unrhyw ddiwrnod arferol a'i wneud yn un arbennig. Mae diwrnod ei phen-blwydd a Sul y Mamau'n achlysuron amlwg, ond gall unrhyw de prynhawn Sul neu bryd o fwyd gyda'r teulu, fod yn arbennig iawn gyda rhai o'r danteithion moethus yma. Mae'r ryseitiau canlynol yn berffaith ar gyfer parti posh yn yr ardd neu i gyfrannu rhywbeth melys at ddigwyddiad i godi arian.

Mother's Day

Every day's a special day

You don't need a reason to have a special day for Mum. Just choose any ordinary day and make it extraordinary. Mum's birthday or Mother's Day are obvious choices, but a Sunday afternoon tea or a family gathering can be made extra special by making some luxurious, yet traditional dainty dishes. All these recipes are also perfect for an elegant garden party or for something sweet to take along to a fundraising event.

Gwnewch y ddwy rysáit nesaf ymlaen llaw a'u defnyddio i wneud nifer o ddanteithion melys braf.

Made beforehand, the next two recipes can be used in a number of silky sweet dishes.

Meringues melys

3 gwynwy
225g siwgwr mân

Twymwch y ffwrn i 110°C / 90°C (ffan) / 230°F / nwy ¼.

Curwch y gwynwy gyda chymysgydd trydan i ffurfio pigau stiff, yna ychwanegwch y siwgwr yn raddol, gan barhau i guro. Curwch am funud neu ddwy nes bod y gymysgedd yn dew a sgleiniog.

Rhowch y cyfan mewn bag eisin gyda phig ynddo. Un ffordd hawdd i wneud hyn yw rhoi'r bag mewn gwydr peint neu wydr latte. Rhowch dop y bag dros ochrau'r gwydr a'i lenwi gyda'r gymysgedd.

Peipiwch chwyrliadau bach o meringue ar ben tun crasu wedi'i leinio a'i roi yn y ffwrn am 45 munud. Diffoddwch y ffwrn gan adael y meringues i oeri y tu mewn.

Sweet meringues

3 egg whites
225g caster sugar

Pre-heat the oven to 110°C / 90°C (fan) / 230°F / gas mark ¼.

Whisk the egg whites with an electric mixer to form stiff peaks, then add the sugar a little at a time while you continue to whisk. Keep whisking for a few more minutes, until the mixture looks thick and glossy.

Carefully transfer the mixture into a piping bag fitted with a nozzle. The easiest way to do this is to open an icing bag and stand it in a tall pint or latte glass. Turn back the top of the bag, over the sides of the glass, and fill with the mixture.

Now pipe out small swirls of meringue onto a lined baking tray and bake for 45 minutes, then turn off the oven, leaving the meringues to cool inside.

Rhiwbob rhost pinc a melys

Rwy'n edrych ymlaen at y cynhaeaf rhiwbob bob blwyddyn. Ond dyw ein rhiwbob ni ddim yn un ffansi a does dim coesau pinc, tenau a thyner ganddo. Felly, dyma fy nhric i goginio rhiwbob melys a phinc y gallwch chi ei ddefnyddio mewn sawl rysáit arall. (gweler isod)

> 3-4 coesyn rhiwbob
> 2 lond llwy ford o siwgwr brown
> 2-3 llond llwy ford o grenadine
> 2-3 llond llwy ford o sudd oren
> 1 goden fanila neu 1 darn o sinsir
> wedi'i grisialu

Twymwch y ffwrn i 180°C / 160°C (ffan) / 350°F / nwy 4.

Torrwch y rhiwbob yn ddarnau 5cm o hyd a'u rhoi mewn tun rhostio. Taenwch y siwgwr a'r sudd oren ar eu pennau. Ychwanegwch hadau ½ y goden fanila neu sleisiau tenau o'r sinsir wedi'i grisialu. Diferwch y grenadine i felysu a rhoi lliw i'r rhiwbob. Gofalwch fod y sudd a'r fanila/sinsir yn gorchuddio'r rhiwbob yn dda. Rhostiwch yn y ffwrn am tua 10 – 15 munud nes ei fod wedi tyneru ond heb feddalu, a gadewch iddo oeri.

Hufen rhiwbob rhost

Curwch hufen dwbl a'i droi'n ofalus trwy'r rhiwbob rhost. Diferwch fwy o surop grawnafal (grenadine) arno a chwyrlïwch hwnnw a'r rhiwbob pinc trwy'r hufen. Mae hyn yn ffordd arall o lenwi teisen sbwnj Fictoria - dull rhyfeddol, hollol anghonfensiynol, ond un hynod o flasus.

 Rhowch beth o'r hufen rhiwbob mewn gwydr bach gyda meringue bach ar ei ben. Neu gwnewch frechdan o'r hufen rhwng dau feringue bach.

Sweet roast pink rhubarb

Every year I look forward to harvesting my garden rhubarb, but it isn't one of the fancy tender stemmed pink varieties, so here's my trick to achieve a lovely sweet pink cooked rhubarb which can be used in several other recipes. (see below)

> 3-4 stalks of rhubarb
> 2 tablespoons of light brown sugar
> 2-3 tablespoons of grenadine
> 2-3 tablespoons of orange juice
> 1 vanilla pod or 1 piece of stem ginger

Preheat the oven to 180°C / 160°C (fan) / 350°F / gas mark 4.

Cut the rhubarb into 5cm lengths and place into a roasting dish. Sprinkle with the sugar and orange juice. Add the seeds of ½ a length of vanilla pod, or thin slices of stem ginger. Drizzle over the grenadine to add sweetness and colour to the rhubarb. Ensure that the rhubarb is well coated with juice and either the vanilla or ginger. Roast in the oven for about 10-15 minutes until tender, but not soft, and allow to cool.

Roast rhubarb cream

Whip up some double cream and fold through the roasted sweetened rhubarb. Drizzle in a little more pomegranate syrup (grenadine) and swirl the pink rhubarb and the grenadine through the cream. This is a wonderful alternative filling for a Victoria sponge, not at all conventional, but delicious.

 Place some rhubarb cream in a small glass and top with meringues or simply sandwich small meringues together for a sweet treat.

Iogwrt rhiwbob a granola cartref

Am frecwast llawn blas, rhowch crème fraîche, iogwrt Groegaidd/naturiol yn diferu gyda mêl ar ben y rhiwbob rhost (uchod) a thaenwch granola cartref ar ben y cyfan.

Granola cartref:
Y cyfuniad gorau yw 6 mesur sych i 1 mesur gwlyb.

Sych:
3 mesur o geirch (hanfodol)
1 mesur o gnau (pecan, cnau cyll, cashiw, brasil, almwn)
1 mesur o hadau (pwmpen, sesami, blodyn haul, llin, naddion cneuen goco)
1 mesur o rywbeth arall

Gwlyb:
¼ mesur o olew/saim
¾ mesur melys (mêl, agafe, surop masarn, surop reis brown)
Mae'r rhain yn gorchuddio'r ceirch, y cnau a'r hadau sy'n eu helpu i droi'n frown a sticio at ei gilydd wrth bobi.

Chwisgwch y cynhwysion gwlyb at ei gilydd, a'u hychwanegu at y cynhwysion sych. Cymysgwch yn dda. Ychwanegwch flas: sinamon, fanila, nytmeg, pinsiad o halen.

I'w goginio:
Gwasgarwch y gymysgedd ar dun crasu wedi'i leinio, gan ofalu bod haenen denau o granola er mwyn iddo goginio'n dda. Rhowch yn y ffwrn am tua 40 – 45 munud ar dymheredd o 150°C / 130°C (ffan) / 300°F / nwy 2, nes bod y granola'n troi'n euraid. Trowch o leiaf unwaith wrth goginio. Peidiwch ag ychwanegu eich dewis o ffrwythau sych nes ei fod bron â gorffen coginio, rhag iddynt sychu gormod. Dewiswch lugaeron, rhesins neu fricyll wedi'u sleisio. Gadewch iddo oeri cyn ei storio mewn jar neu gynhwysydd aerglos.

Rhubarb yoghurt and homemade granola

For a lovely tasty breakfast, serve the roast rhubarb (above) with crème fraîche and natural or Greek yoghurt sweetened with a drizzle of runny honey and a granola topping.

To make your own granola:
The magic ratio is 6 parts dry to 1 part wet.

Dry:
3 parts oats (essential)
1 part nuts (chopped pecans, hazelnuts, cashews, brazils, almonds)
1 part seeds (pumpkin, sesame, sunflower, flax, coconut flakes)
1 part anything else

Wet:
¼ part oil/fat
¾ part sweetness (honey, agave, maple syrup, or brown rice syrup)
These coat the oats, nuts, and seeds in fat and sugar, which, when baked helps them all brown and clump together.

Whisk the wet ingredients together, add to the dry ingredients and mix well. You can add more flavour, like cinnamon, vanilla extract, nutmeg, and just a little salt.

To Cook:
Spread the granola mixture out on a lined baking tray. Make sure that you only have a thin layer of granola so that it cooks well. Bake at 150°C / 130°C (fan) / 300°F / gas mark 2 until the granola is golden, it will take about 40-45 minutes, and it's well worth stirring it at least once so that it cooks evenly. Don't add your choice of dried fruit – dried cranberries, raisins, or sliced dried apricots – until right at the end or they will dry out too much. Allow the tray of granola to cool before storing in any jar or air tight container.

Mae 'na gymaint o wahanol gyfuniadau o gynhwysion – felly ewch ati i arbrofi a chael hwyl yn darganfod eich ffefryn. Dyma fy ffefryn i:

2 gwpanaid o geirch wedi'u rhostio
½ cwpanaid o naddion almwn
¼ cwpanaid o hadau pwmpen a blodyn yr haul
2 lond llwy ford o surop masarn
1 llond llwy ford o fêl
1 llond llwy ford fawr o olew cnau coco
pinsiad o halen môr

There are so many ingredient combinations you could try – so have fun experimenting until you find your favourite. This is mine:

2 cups of rolled oats
½ cup of flaked almonds
¼ cup of mixed sunflower and pumpkin seeds
2 tablespoons of maple syrup
1 tablespoon of honey
1 heaped tablespoon of coconut oil
1 pinch of sea salt

Treiffl rhiwbob

meringues (gweler uchod)
rhiwbob rhost (gweler uchod)
500ml hufen dwbl
bisgedi boudoir/bysedd sbwnj
(neu 2 neu 3 teisen fach neu ddarnau sbwnj)
2 lond llwy ford o jin rhiwbob
llond dwrn o fafon
2 lond llwy ford o siwgwr eisin
1 llond llwy de o bâst neu rinflas fanila

Gwnewch dreiffl mawr neu rai bach unigol mewn gwydrau bach.

Rhowch y bisgedi neu ddarnau o sbwnj ar waelod powlen dreiffl neu mewn gwydrau pwdin. Ychwanegwch ddiferyn o jin rhiwbob neu hoff wirod Mam. Yna, rhowch haenen drwchus o'r rhiwbob rhost melys a gosodwch ychydig o fafon ar ymyl y bowlen (dylent edrych yn lliwgar a phert o'r tu fa's!)

Curwch lond potyn 500g o hufen dwbl ac ychwanegwch y siwgwr eisin a'r pâst/rhinflas fanila iddo. Cymysgwch y meringues yn ofalus gyda'r hufen a'i roi fel haenen arall ar ben y rhiwbob a'r mafon. Rhowch fwy o meringues wedi'u malu ar ei ben a thaenwch gnau pistasio mân drosto.

Rhubarb trifle

meringues (see above)
roast rhubarb (see above)
500ml pot of double cream
boudoir biscuits/sponge fingers
(or 2 or 3 cup cakes or sponge pieces)
2 tablespoons of rhubarb gin
a handful of raspberries
2 tablespoons of icing sugar
1 teaspoon of vanilla paste or extract

Make a traditional trifle for the table or make individual portions in small glasses.

Place trifle sponges or some homemade sponge pieces at the bottom of a trifle bowl, or individual stemmed glasses. Add a little rhubarb gin or Mum's favourite liqueur. Cover with a thick layer of the roast sweetened rhubarb. Add a handful of raspberries neatly around the edge of the dish (they should look colourful and pretty from the outside!)

Whip up a 500ml pot of double cream and sweeten with 2 tablespoons of icing sugar and a teaspoon of vanilla. Now carefully mix some meringues into the whipped double cream, and layer it carefully on top of the fruit. Add an additional layer of crushed meringues, and sprinkle with a few crushed pistachios.

Toddi'n y geg

250g menyn
230g blawd plaen
60g siwgwr eisin
75g blawd corn

i'w llenwi:
150g siwgwr eisin
75g menyn meddal

Twymwch y ffwrn i 180°C / 160°C (ffan) / 350°F / nwy 4.

Rhowch y menyn a'r siwgwr eisin mewn powlen fawr. Cymysgwch yn dda. Ychwanegwch y blawd a'r blawd corn a chymysgwch yn dda eto (tipyn o dasg ond daliwch ati). Gwasgwch y gymysgedd friwsionllyd i ffurfio pelen does ac, os oes digon o amser, rhowch y toes mewn cwdyn plastig yn yr oergell i oeri am 20 munud yn unig, dim mwy! Os yw'r toes yn caledu gormod bydd hi'n anodd ei wasgu trwy big y bag eisin.

Rhowch big siâp seren ar fag eisin, rhowch y gymysgedd yn y bag a pheipiwch tua 25 o rosynnau bach ar ddarn o bapur gwrthsaim neu haenen silicon. Rhowch yn y ffwrn am 20 munud nes bod yr ymylon yn dechrau troi'n euraid. Gadewch ar restl weiren i oeri.

I wneud y llenwad, chwisgwch y cynhwysion i gyd yn llyfn. Rhowch y gymysgedd mewn bag eisin gyda phig crwn maint 1cm. Peipiwch y llenwad ar un fisgïen a gwnewch frechdan gyda bisgïen arall.

Love-ly melting moments

250g butter
230g plain flour
60g icing sugar
75g cornflour

For the filling:
150g icing sugar
75g butter, softened

Pre heat the oven to 180°C / 160°C (fan) / 350°F / gas mark 4.

Place the butter and icing sugar in a roomy bowl. Cream the butter and sugar together until well mixed. Add both the flour and the cornflour and mix really well (it can be a bit of a challenge, but keep going). Squeeze the crumbly mixture together to form a ball of dough, and if you have time, place it in a plastic bag in the fridge, and chill for just 20 minutes, but no more. If it gets too firm you won't be able to squeeze it through an icing bag and nozzle.

Attach a star nozzle to an icing bag. Place the mixture into the icing bag and pipe about 25 rosette shapes onto a sheet of greaseproof paper or silicone. Bake in the oven for up to 20 minutes until the edges are slightly golden. Allow to cool on a wire rack.

To make the filling, mix all the ingredients together until smooth using a hand-held whisk. Spoon into a piping bag fitted with a 1cm round nozzle and pipe the filling onto one half of the biscuits, then sandwich together with the remaining biscuits.

Syniadau Sul y Mamau

Dyw hi ddim wastad yn bosib bwcio bord a mynd â Mam allan am ddiwrnod i'r brenin (neu'r frenhines!). Efallai bod Mam yn tynnu 'mlaen mewn oedran neu fod teulu mawr estynedig o blant, wyrion a babis i'w drefnu. Mae cyfyngiadau ariannol hefyd yn gallu golygu ei bod hi'n well aros adre' weithiau. Ond peidiwch ag anghofio – mae rhai o'r atgofion melysaf yn cael eu creu adre' ar ddiwrnodau arbennig yng nghwmni teulu a ffrindiau.

Dechreuwch arferion newydd fel rhoi brecwast yn y gwely, mynd am dro yn y parc neu gefn gwlad, prynu ei hoff gylchgrawn neu, beth am ddechrau casgliad bach o'i hoff bethau, hyd yn oed?

Gwneud labeli cartref

Torrwch betryalau amrywiol o gerdyn stiff a gwnewch dwll ym mhen pob un i dderbyn darn bach o ruban. Addurnwch y labeli gyda stampiau inc, pensiliau a phinnau lliw; glynwch fotymau neu ysgrifennwch neges seml. Defnyddiwch nhw i labelu potiau, jariau neu fasgedi o gwmpas y tŷ; fel labeli ar frechdanau, teisennau neu ddiodydd mewn parti neu, wrth gwrs, fel llabedau ar anrhegion neu nodau llyfr.

Cofiwch wneud cerdyn i Mam

Mae ôl troed neu law babi, neu blentyn bach yn berffaith ar gerdyn i Mam. Efallai bydd angen help ar blant sydd ychydig yn hŷn, i dorri a gludo lluniau o'r teulu ar gerdyn, yna gwneud border bach pert gyda rhuban lliwgar a'i roi ar yr hambwrdd brecwast.

Cofiwch fod cynnyrch cartref yn arbennig a bydd yn cael ei drysori am byth.

Ideas for Mother's Day

Sometimes, for lots of different reasons, it's just not possible to book a table and treat Mum to a day out. Maybe your mum is elderly, or you have a large extended family with lots of young children, grandchildren and babies, to manage. Financial restraints can also make staying at home by far the best option. But don't forget, the best memories are often those special family days spent at home.

Start some new family traditions, little rituals like a simple breakfast in bed, a walk in the park or in the countryside, buying Mum's favourite magazine, or even starting a little collection of her favourite things.

Homemade decorated labels

Cut some rectangular pieces of stiff card and punch a hole in one end for threading a piece of ribbon. Decorate the tags using ink stamps, colouring pencils or pens, stick on buttons or simply write a personal message. Use them to label jars or baskets around the house or use them to label sandwiches, cakes or drinks at a family party or simply use them as gift tags on presents or as a book mark.

Don't forget to make Mum a card

A small handprint or footprint is perfect from a baby, toddler or young child. For older children, help them to cut out and glue some family pictures onto stiff card, add a pretty border or ribbon and put it on the breakfast tray.

Remember, homemade is special and will be treasured for ever.

Clai aersych

Mae'r clai yma ar gael o siopau crefft ac yn syml iawn i'w ddefnyddio. Mae'n sychu'n naturiol heb orfod cael ei danio fel clai traddodiadol. Gallwch chi wneud pob math o bethau gyda fe - botymau pert, dominos, llestri te neu dai bychain.

Rwy'n dwlu ar wneud tai clai. Ar Ddydd Sul y Mamau diwethaf, treuliodd y merched yn ein teulu, amser maith yn gwneud ac addurno tai steil Delfft yn yr Iseldiroedd. Roedd ambell un yn well na'i gilydd, ond aeth oriau heibio yn clebran a chwerthin wrth ddysgu crefft newydd. A nawr, mae rhes newydd o dai bach pert yn ein tŷ ni ynghyd ag atgofion hapus.

Air drying clay

This clay is available in most craft shops and is really easy to use. It simply dries out and doesn't need firing like traditional clay. It's great for making pretty buttons, dominos or even mini tea-sets or little houses.

I love little houses! Last Mother's Day, my mum, my girls and I spent a few hours making and decorating small delft-style houses, some were better than others, but we spent a good couple of hours making and holding, chatting and laughing as we learned a new skill. We now have a row of sweet little houses and lots of happy memories.

Helfa Wyau Pasg

Nid yw pob wy yn wy siocled!

Mae'r Pasg yn amser da iawn i bobi teisennau a thrîts. Mae mwy na digon o wyau'n dod o'r sied ffowls, fel arfer, yr adeg hyn o'r flwyddyn, ac mae'n ffordd wych o'u defnyddio i gyd! Rwy'n dwlu ar bobi teisennau a byns, bisgedi a bara, i gyd wedi'u lliwio mewn pastelau i adlewyrchu ysgafnder y tymor.

Os oes amser delfrydol i fod ma's yn yr ardd, gŵyl y Pasg yw hi. Mae penwythnos gŵyl y banc yn gadael digon o amser i weithio, cael sbort a gorffwys. Erbyn bore dydd Mawrth, byddwch chi'n teimlo'n falch iawn o'ch ymdrechion. Cewch eich gwobrwyo drwy'r haf gyda digonedd o gynnyrch cartref a byddwch yn cyflwyno ffordd o fyw, hobi ddiddorol a sgiliau bywyd a fydd yn para am byth i'r plant.

Easter Egg Hunt

Not all eggs are chocolate!

Easter is a great time to get baking cakes and treats. We usually have an abundance of eggs from the chicken shed at this time of year, and it's a great way to use them all up. I love to bake cakes and buns, biscuits and breads, all coloured in pastel shades to reflect the lightness of the season.

Easter is also a great time to get into the garden, as the long bank holiday weekend gives you time to work, rest and play. By Tuesday morning you'll feel very pleased with yourself and might even manage to give your halo a polish. You'll also be rewarded with a succession of fresh home-grown produce all summer, and if you make this your garden year, you'll be introducing the children to a fantastic way of life, a new hobby and life skills that will be with them forever.

Gardd berlysiau

Os nad ydych yn arddwr o fri, peidiwch â bod yn rhy uchelgeisiol. Ydych chi wedi ystyried tyfu perlysiau? Maen nhw'n hawdd eu trin, ac yn darparu cynhwysion gwych i'r gegin ar yr un pryd.

Rhowch gynnig ar y perlysiau bytholwyrdd yma fydd yn tyfu trwy gydol y flwyddyn:

teim: ardderchog ar gyfer gwneud saws, tatws lemwn a theim, sŵp minestrone...

rhosmari: ychwanegwch at gigoedd rhost, yn enwedig cig oen.

lafant: gwnewch gydau i dwymo dwylo yn y gaeaf neu i'w rhoi o dan obennydd i hwyluso cwsg.

saets: i stwffio'ch cigoedd rhost.

Heuwch y perlysiau unflwydd yma bob gwanwyn am gnwd da pan ddaw'r haf:

basil: yn dda gyda thomatos, mewn salad neu i wneud pesto.

tafod y fuwch: blodyn glas pert fel seren – yn dda mewn diodydd.

persli: gwych mewn cawl, sŵp a sawsiau.

Gall rhai o'r uchod hunan-hadu ac ymddangos yn annisgwyl y flwyddyn ganlynol.

Plannwch y perlysiau parhaol yma unwaith a'u gweld bob blwyddyn:

mintys: i wneud diodydd oer yn yr haf, sôs mintys, ychwanegwch at bys a thato newydd. Ond byddwch yn ofalus, gwneith mintys ymdrech lew i ymwthio i bob rhan o'r ardd. Plannwch e mewn potiau i gadw rheolaeth arno. Os ydych chi'n hoffi sawl math gwahanol o fintys, peidiwch a'u rhoi nhw yn yr un gwely – unwaith mae'u gwreiddiau'n cyffwrdd, maen nhw'n blasu fel 'i gilydd.

balm lemwn: aroglau lemwn ffres yn llenwi'r ardd.

cennin syfi: defnyddiwch mewn garnais, salad, brechdanau mayonnaise wy, sŵp, sawsiau hufennog, gyda thatws ac mewn omled. Maen nhw'n eithaf tyner, felly snipiwch nhw gyda siswrn yn hytrach na'u torri â chyllell a rhowch nhw gyda'r pryd y funud olaf cyn gweini.

Lliw Pasg

Dw i wrth fy modd yn dod ag elfennau natur i mewn i'r tŷ. Alla' i ddim peidio a thorri ychydig sbrigau o flagur i roi bach o liw i'r gegin. Dewch â hwyl y gwanwyn a'i holl liwiau pert dan do ac addurnwch y tŷ gyda brigau, blodau a changhennau o flagur o'r ardd.

Yn hytrach na phrynu blodau o'r siop, gallwch dorri brigau hyfryd o'r ardd a'u hychwanegu at eich fasys. Yng ngwres y tŷ, bydd y blagur yn agor ac yn creu arddangosfa hardd.

Gwnewch goeden y Pasg

Y brigau a'r canghennau bach o'r ardd yw sylfaen ein Coeden Pasg, fydd yn cael ei gorchuddio â bisgedi wedi'u haddurno, rhubanau a wyau, gan ein ffrindiau pluog yn y sied ffowls, wedi'u chwythu a'u paentio. Mae bord y gegin yn cael ei thrawsnewid bob blwyddyn, gan ddod â'r ardd wanwynol at galon y tŷ.

Helfa wyau Pasg

Ychydig flynyddoedd yn ôl, roedd hi'n bwrw glaw drwy'r Pasg ac roedd hi'n amhosib cael ein helfa wyau Pasg arferol y tu fa's. Yn lle hynny, casglais bob cwpan, myg, cwpan wy a bicer oedd yn y tŷ, cwato wyau siocled bychain o dan ambell un ohonynt cyn dechrau'r helfa wyau dan do.

Cafodd pawb ei dro i ddod o hyd i wy trwy droi un cwpan. Roedd llwyddiant yn dod â gwobr felys, ond fel arall rhaid oedd rhoi'r cwpan yn ôl yn ei le a gadael i'r person nesaf gael ei dro.

I'r dim ar gyfer diwrnod glawog.

Herb garden

If you're a novice gardener, don't try to be too ambitious. Why not start with herbs? They're easy and manageable while providing you with fantastic ingredients for your kitchen.

Try these hardy evergreen perennials, which will grow throughout the year:

thyme – great for sauces, for lemon and thyme potatoes, minestrone soup...

rosemary – add to roast meat dishes, especially lamb.

lavender – make winter handwarmers or small fragrant pouches to slip under your pillow and help you to sleep.

sage – stuffing for your roast meats.

Sow these annuals in the spring for a good summer crop:

basil – good for tomato salads and making pesto.

borage – a very pretty blue star-like flower, great in drinks.

parsley – great in cawl and numerous soups and sauces.

Some of the above may self-seed and pop up the following year.

Plant these perennials once and they'll return every year:

mint – for cool summer drinks, mint sauce, add to peas and new potatoes for a fresh minty flavour. Be careful, mint will make a very good attempt to take over the whole garden. Plant it in pots to restrict the roots and prevent it spreading everywhere. If you like the taste of different varieties of mint, don't grow them in the same bed. If their roots touch, they'll all adopt the same flavour.

lemon balm – fills the garden with fresh lemon aromas.

chives – use in garnishes, salads, egg mayonnaise sandwiches, soups, creamy sauces, potato dishes and omelettes. Chives are delicate so snip them with scissors instead of chopping them and add them to dishes just before serving.

Spring colour

I love to bring the outdoors inside at Easter. I can never resist cutting just a few sprigs of blossom to brighten up the kitchen. If outside is full of spring cheer, bring all those beautiful, fresh shades indoors and decorate the house with twigs, flowers and blossoming branches from the garden.

If you usually have shop-bought flowers, try cutting some budding twigs from the garden instead and add them to your vases. In the warmth of the house, the buds will soon open and create a beautiful display.

Make an Easter Tree

The twigs and stems from the garden form the base of our Easter Tree which is to be covered with decorated Easter cookies, ribbons and painted blown eggs from our feathery friends in the chicken run. The kitchen table is transformed, making the inside as fresh and airy as the spring garden.

The Easter egg hunt

A few years ago we had a very wet Easter and the usual Easter egg hunt outside wasn't possible. Instead, I emptied the cupboards of all the cups and mugs, egg cups and beakers and hid mini eggs and cream eggs under various ones. We then embarked on our indoor Easter egg hunt.

Each person had a turn at finding an egg by turning over one cup. If lucky, they kept the egg, if not, the cup was turned back over ready for the next player's turn.

Great for rainy days.

Ar ôl bod yn gweithio'n galed yn yr ardd, peidiwch ag anghofio bwyta rhywbeth cysurlon a chynnes wrth ddod yn ôl i mewn.

Don't forget after working hard in the garden, come inside and treat yourself to some hearty warming food.

Peli cyw iâr pesto mozzarella mewn saws tomato twym

2 frest gyw iâr
1 llond llwy ford fawr o pesto
1 afal
1 winwnsyn bach
1 pupur bach
1 tun tomatos wedi'u torri'n fân
1 darn bach o sinsir
2 ewin garlleg
halen a phupur du
olew ar gyfer ffrio

Defnyddiwch brosesydd bwyd i dorri'r cyw iâr yn fân fel briwgig. Ychwanegwch y pesto a phinsiad o halen a phupur.

Rhowch flawd ar flaenau'ch bysedd cyn siapio'r gymysgedd a gwneud peli bach maint cnau Ffrengig. Ffriwch nhw gan ofalu nad ydynt yn chwalu. Ar ôl eu coginio, rhowch nhw o'r neilltu ar ddarn o bapur cegin i amsugno'r olew.

Tynnwch groen y winwnsyn a phliciwch yr afal cyn eu torri'n ddarnau unfaint. Torrwch y pupur, y garlleg a'r sinsir yn ddarnau bychain. Yna ffriwch y winwnsyn, y pupur, y sinsir a'r garlleg mewn padell fawr nes eu bod yn feddal. Yna ychwanegwch bopeth arall gan gynnwys y tomatos a phinsiad o halen a phupur.

Rhowch gaead ar y badell a'i mudferwi am 15 munud dros wres cymedrol.

Yna, rhowch y peli bach yn y saws a pharhewch i'w fudferwi am 5 munud arall. Yn olaf, rhowch ddarn o gaws mozzarella ar ben bob pelen a'u rhoi o dan y gril i doddi'r caws. Gweinwch o'r badell gyda bara crystiog neu basta.

Pesto chicken and mozzarella balls in spicy tomato sauce

2 chicken breasts
1 generous tablespoon of pesto
1 apple
1 small onion
1 small pepper
1 tin of chopped tomatoes
1 small piece of ginger
2 cloves of garlic
salt and ground black pepper
oil for frying

Using a food processor, blitz the chicken breasts to create a fine mince. Add a generous tablespoon of pesto and season with salt and pepper.

Using floured fingers, shape the chicken mince into walnut-sized balls, then fry them gently taking care not to break them up. Once cooked, drain them on some kitchen roll and set them aside.

Peel the onion and apple and chop them into small equally-sized pieces. Chop the pepper, ginger and garlic into small pieces. Add a little oil into a large pan or a deep sided frying pan and fry the onion, pepper, ginger and garlic until softened. Then add the remainder of the ingredients, including the tin of tomatoes, and season with salt and ground black pepper.

Place over a medium heat, cover with a lid and allow to simmer for 15 minutes.

Add the meatballs into the sauce, and simmer for a further 5 minutes. Finally, place a small piece of mozzarella on each meatball and place under the grill to melt the cheese. Serve from the pan, with a crusty bread roll or pasta.

64

tip

I arbed amser, prynwch friwgig twrci neu gyw iâr –
neu defnyddiwch becyn o selsig cyw iâr! Tynnwch
groen y selsig a rholiwch y cig yn beli bychain.

tip

You could buy chicken or turkey mince to save
time. Another quick option would be to use chicken
sausages. Simply remove the sausage skin and roll

Teisennau moch bach a theisennau ŵyn bach

3 wy
180g siwgwr mân
180g menyn / margarîn
180g blawd codi

Ar gyfer addurno'r moch bach:
siwgwr eisin
lliw bwyd pinc
malws melys pinc

Ar gyfer addurno'r ŵyn bach:
malws melys bach gwyn
siwgwr eisin
pecyn o eisin ffondant du
(gallwch chi wneud eisin du trwy ychwanegu
lliw bwyd du i eisin stiff, fodd bynnag, rwy'n ei
chael hi'n anodd iawn i gael lliw du tywyll iawn
ac nid yw llwyd tywyll byth yn edrych cystal –
mae'n haws prynu peth!)

Twymwch y ffwrn i 180°C / 160°C (ffan) / 350°F / nwy 4.

Pwyswch yr wyau yn eu masgl a chofnodi'r pwysau.
(Dylai fod tua 180g.) Pwyswch yr un faint o siwgr a
menyn mewn powlenni ar wahân a'u cymysgu mewn
powlen gymysgu, nes iddynt feddalu.

Craciwch un wy ar y tro i mewn i bowlen fach. Bydd
hyn yn eich galluogi i weld bod yr wyau'n ffres a
chael gwared ag unrhyw fasgl cyn ei ychwanegu at y
gymysgedd. (Gall ddigwydd i bawb!) Curwch un wy
ar y tro ac os bydd y gymysgedd yn dechrau ceulo,
ychwanegwch lwyaid o'r blawd.

Hidlwch y blawd a'i blygu'n ofalus i'r gymysgedd.
Rhowch y gymysgedd mewn casys papur a rhowch yn
y ffwrn am 15 - 20 munud nes eu bod yn euraid.

I addurno'r teisennau moch bach:
Cymysgwch y siwgr eisin gydag ychydig o ddŵr i
wneud eisin stiff. Ychwanegwch liw bwyd pinc a
chymysgwch yn dda. Gorchuddiwch y teisennau
gyda'r eisin pinc ac ychwanegwch falysen felys ar
gyfer y trwyn. Torrwch ail falysen yn ei hanner ar
gyfer y clustiau. Nawr, defnyddiwch bin eisin du i
wneud y llygaid ac i roi ffroenau ar y trwyn.

Little piglet cakes and little lamb cakes

3 eggs
180g caster sugar
180g butter/margarine
180g self-raising flour

To decorate little piglet cakes:
icing sugar
pink food colouring
pink marshmallows

To decorate little lamb cakes:
lots of white mini marshmallows
icing sugar
a pack of black fondant icing
(you can make your own black icing by adding
black food colouring to some stiff icing.
However, I find it very difficult to get a dark
black colour, and dark grey never looks as
good – buy some!)

Heat the oven to 180°C / 160°C (fan) / 350°F / gas mark 4.

Weigh the eggs in their shells and record the weight
(it should be about 180g). Weigh out the same amount
of sugar and butter in separate bowls, then cream
them together in a mixing bowl until soft and fluffy.

Crack one egg at a time into a small bowl. This will
allow you check that the egg is fresh and give you a
chance to remove any egg shell before adding it to
the cake mixture. (It can happen to the best of us!)
Beat in one egg at a time and add in a spoonful of
flour if the mixture begins to curdle.

Sieve the flour and fold into the mixture. Spoon the
mixture into cake cases and cook in the oven for 15-20
minutes until golden.

To decorate little piglet cakes:
Mix icing sugar with a little water, to make a stiff
icing. Add pink food colouring and mix well. Cover
the cakes with pink icing and add a marshmallow
for the snout. Cut a second marshmallow in half and
use the two halves to form two ears. Now use a black
icing pen to draw the eyes and draw 2 nostrils on
the snout.

I addurno'r teisennau ŵyn bach:

Cymysgwch siwgwr eisin gydag ychydig o ddŵr i
wneud eisin stiff. Addurnwch y teisennau gydag eisin
gwyn cyn eu gorchuddio â malws melys bach gwyn.
Gan ddefnyddio eisin du, rhowch wynebau bach
iddyn nhw fel eu bod yn edrych fel defaid bach.

To decorate little lamb cakes:

Mix icing sugar with a little water, to make a stiff
icing. Decorate the cakes with white icing and
then cover with mini marshmallows. Using black
icing, add a little black face to make them look like
little sheep.

Nythod meringue melys

3 gwynwy
225g siwgwr mân
hufen dwbl wedi'i guro
1 llond llwy ford o siwgwr eisin
dewis rhwng ffrwythau meddal ac aeron neu
wyau siocled bychain
pâst fanila

Twymwch y ffwrn i 110°C / 90°C (ffan) / 230°F / nwy ¼.

Gwnewch y meringue trwy ddilyn y rysáit ar dudalen 48.

Curwch yr hufen dwbl mewn potel ysgytlaeth neu jar fawr nes ei fod yn dal ei siâp, yna ychwanegwch y siwgwr eisin a'r pâst fanila i roi blas.

I wneud y nythod Pasg, gwthiwch dwll bach yn y meringues a'u llenwi gyda'r hufen. Addurnwch gyda wyau siocled bychain. Ar adegau eraill o'r flwyddyn, fe allech chi ddefnyddio ffrwythau yn lle wyau siocled. Mae'n hwyl dewis ac arbrofi â ffrwythau anarferol. Rhowch gynnig ar granadila, ffrwythau hyll, ffrwyth ciwi, rhiwbob melys wedi'i rostio, neu aeron coch yn yr haf.

Taenwch siwgwr eisin drostynt cyn gweini.

Sweet meringue nests

3 egg whites
225g caster sugar
whipped double cream
1 tablespoon of icing sugar
choice of soft fruit and berries or mini Easter eggs
vanilla paste

Pre-heat the oven to 110°C / 90°C (fan) / 230°F / gas mark ¼.

Make the meringue by following the recipe on page 48.

Shake up the double cream in a protein shake bottle or large jar until it holds its shape, then add the icing sugar to sweeten and vanilla paste for flavour.

To make the Easter nests, gently push a hole into the meringues and fill with the whipped cream. Decorate with mini Easter eggs. At other times of the year, you could simply cover with cream and lots of fruit of your choice. It's fun to choose and experiment with unusual fruit. Try passion fruit, ugly fruit, kiwi, roast sweetened rhubarb, or simply red summer berries.

Dust with icing sugar before serving

Lolis siocled

Fyddai'r Pasg ddim yr un peth heb siocled, ond, yn lle gwneud wyau siocled, gwnewch lolis!

> 2 x bar 100g o'ch hoff siocled
> (nid siocled coginio)

Toddwch ⅔ o'r siocled mewn powlen fetel dros sosban o ddŵr sy'n mudferwi.

 Gallwch chi ddefnyddio'r popty ping, ond mae'n hawdd llosgi siocled fel hyn! Felly, defnyddiwch sbeliau byr iawn yn y popty a throi'r siocled rhwng bob un. Dylai hyn arbed llosgi'r siocled.

Ar ôl iddo doddi, ychwanegwch y siocled sy'n weddill a pharhau i droi nes bod hwnnw wedi toddi hefyd. Wrth wneud hyn, mae'r tymheredd yn gostwng a bydd y siocled wedi'i dempru ac yn gwneud lolis llyfn a sgleiniog.

Nawr llwywch y siocled ar ben papur pobi a gwnewch lolis o bob siâp. Rhowch ffon loli yn y siocled a diferyn bach arall o siocled ar ben y ffon i'w chadw yn ei lle. Addurnwch gyda losin neu ddafnau neu fotymau siocled.

Chocolate lollies

Easter wouldn't be Easter without chocolate, but, as a change from eggs – make some lollies!

> 2 x 100g bars of your favourite chocolate.
> (not cooking chocolate)

Melt ⅔ of the chocolate in a metal bowl over a pan of simmering water.

 You can use the microwave oven, but it is easy to burn chocolate this way. So, only use short bursts of microwave before stirring to distribute the heat, this should prevent burning.

Once melted, stir in the remaining chocolate and continue to stir until it is also melted. This brings down the temperature of the chocolate, and therefore it becomes 'tempered' and should make glossier lollies.

Now spoon the chocolate onto some parchment paper to make lolly shapes. Place a lolly stick in the chocolate and drop a tiny bit more chocolate on top of the stick to keep it in place. Decorate with sprinkles or sweets, chocolate drops or buttons!

Dathlu al Fresco

Teisennau annisgwyl!

Picnic cartref

Does dim byd gwell na phicnic. Mae bwyta bwyd ffres yn yr awyr iach yn grêt, ond mae e'n well byth pan nad oes rhaid i chi dreulio oriau yn y car yn ceisio 'cyrraedd!' Pan oedd y plant yn ifanc, doedd dim byd yn fwy cyffrous na phicnic yn yr ardd neu y tu ôl i'r soffa neu o dan y ford. Mae picnic yn sbort yn yr haul neu ar ddiwrnod glawog. Does dim ots beth yw'r achlysur; cael hwyl a bwyta'n dda sy'n bwysig. Gan nad ydych chi'n mynd yn bell, gadewch yr hen oerflwch o dan y grisiau, a chwythwch y llwch oddi ar hen fasged -yr un oedd yn cario cynhwysion i wersi coginio flynyddoedd yn ôl, efallai! Tra eich bod chi wrthi, ewch i nôl y babell o'r twll dan stâr a gwnewch wersyll yn yr ardd. Gadewch i'r plant fynd â'u dillad gwely ma's a byw'n wyllt am noson neu ddwy gan gofio na fyddwch chi na'r gegin yn rhy bell i ffwrdd i gadw i fwydo'r gwersyllwyr.

Celebrate Al Fresco

We want s'more...!

Staycation picnic

Nothing beats a picnic, but it's even better when eaten fresh and cold and when you don't have to spend hours in a car 'getting there'. When the children were young, there was nothing more exciting than a picnic in the garden or even behind the sofa or under the table. Picnics are fun in the sun or on a rainy day. Whatever the occasion, enjoy yourselves and eat well. Since you're not going far you can leave the cool box under the stairs, and dust off an old basket instead, maybe the one you used to take ingredients to cookery classes years ago! While you're at it, why not get the tent out, and make a camp site in the garden? Turn the picnic into a camp-out. Let the kids take their duvets and pillows out and go feral for a night or two and, in the meantime, you're not too far away to keep the campers supplied with food from your kitchen.

Cyw iâr stici sesami a mêl

Dewis gwych i'w baratoi yn lle byrger neu selsigen. Mae'n mynd yn dda gyda salad neu fara fflat (rysáit tud. 84.) Mae prynu bara pita neu dortilas yn gwneud bywyd yn haws. Gallwch hyd yn oed roi'r darnau cyw iâr gyda'i gilydd ar sgiwer a'u rhoi ar y barbeciw i gael blas myglyd. Coginiwch y cyw iâr yn dda, a'i fwyta ar unwaith.

    3 llond llwy ford o fêl diferol
    3 llond llwy de o saws soi
    1 chilli coch
    1 ewin garlleg, wedi'i falu
    3 brest cyw iâr, wedi'u sleisio
    (neu becyn o adenydd cyw iâr)
    1 llond llwy ford o olew olewydd / llysiau
    letys baby gem
    winwns salad
    tomatos
    hadau sesami

Rhowch y mêl, y saws soi, y chilli a'r garlleg mewn powlen a'u cymysgu'n dda.

Trosglwyddwch y gymysgedd i gwdyn rhewgell ac ychwanegwch y cyw iâr. Siglwch yn dda i orchuddio'r cig â'r marinâd a rhowch yn yr oergell am o leiaf hanner awr neu dros nos.

Twymwch yr olew mewn ffrimpan anlynol neu wok, ychwanegwch y cyw iâr a'i goginio am o leiaf 6 - 8 munud. Gall yr amser amrywio yn ôl maint y darnau cyw iâr.

Ychwanegwch weddill y marinâd a pharhau i'w goginio nes bod y cyw iâr wedi'i orchuddio'n dda mewn saws gludiog. Gall hyn gymryd hyd at 5 neu 6 munud. Byddwch yn ofalus, unwaith bydd y saws yn troi'n ludiog, mae'n llosgi'n rhwydd. Os eith yn rhy drwchus a gludiog, ychwanegwch ddiferyn o ddŵr.

I weini, rhowch ychydig o ddarnau o gyw iâr ar y letysen fach gan ychwanegu shibwns wedi'u sleisio a thomatos wedi'u torri'n fân a thaenwch hadau sesami dros y cwbl. Mae'n rhyfeddol o dda!

Sticky honey and sesame chicken

This is a great alternative to a burger and a sausage. Serve it with a salad or flatbread (recipe on page 84) or cheat and buy pitta bread or wraps. You could even skewer the chicken pieces together and place them on the barbecue for the smoky flavour. Always cook chicken well, and eat immediately.

    3 tablespoons of runny honey
    3 teaspoons of soy sauce
    1 red chilli
    1 clove of garlic, crushed
    3 chicken breasts, sliced
    (or a pack of chicken wings)
    1 tablespoon of olive oil/vegetable oil
    baby gem lettuce
    salad onions
    tomatoes
    sesame seeds

Place the honey, soy sauce, chilli and garlic in a bowl and mix well.

Transfer this to a freezer bag and add the sliced chicken breast. Mix well to cover all the chicken and marinate in the fridge for at least half an hour, or overnight is fine.

Heat the oil in a non-stick frying pan or wok and add the chicken and cook for 6-8 minutes. The time may vary according to the size of the chicken pieces.

Add the remaining marinade juices and continue to cook until the chicken is well coated in a sticky sauce. This may take up to 5 or 6 minutes. Be careful, once the sauce becomes sticky it burns quite easily. If it gets too thick and sticky simply add a little water.

To serve, place a few pieces of chicken on the little gem lettuce, add some slices of spring onion and chopped tomatoes. Finally sprinkle the sesame seeds over the chicken. This is so good!

Salad Panzanella (salad bara a thomato o Dwsgani)

Dyma rywbeth bach ychwanegol sy'n berffaith i bob picnic neu farbeciw – mae'n ddelfrydol i'w roi mewn bocs bwyd neu i gyd-fynd ag unrhyw bryd oer. Mae'r rhestr gynhwysion yn hir, ond mae'n werth chweil.

½ winwnsyn coch, wedi'i sleisio'n denau
1 pupur coch
1 pupur melyn
8 tomato aeddfed - mae rhai mawr yn well
200g hen fara cartref
diferyn o olew â blas (garlleg neu chilli)
4 llond llwy ford o finegr gwin
1 llond llwy ford o gaprys
2 ansiofi, wedi'u torri'n fân
1 ewin bychan o arlleg, wedi'i falu
6 llond llwy ford o olew olewydd pur
pupur du
llond llaw o fasil ffres a / neu bersli

Torrwch neu rwygwch hen dorth o fara yn ddarnau a'u rhoi ar dun crasu. Diferwch ychydig o olew garlleg neu chilli dros y cyfan a rhowch yn y ffwrn am 20 munud ar dymheredd isel i sychu a lliwio ychydig. Mae hyn yn helpu sicrhau nad yw'r bara'n meddalu gormod yn y salad.

Torrwch y tomatos a'r puprynnau a'u rhoi mewn powlen. Ychwanegwch binsiad o halen a phupur. Cymysgwch y caprys, y winwns a'r ansiofi mewn powlen arall, ychwanegwch 2 lond llwy ford o finegr a tua 6 llond llwy ford o olew olewydd pur. Cymysgwch yn dda a'i flasu i weld a oes angen ychwanegu rhagor o bupur, halen, finegr neu olew.

Ychwanegwch y dresin at y tomatos a'r puprynnau. Cwblhewch drwy ychwanegu'r bara/crwton garlleg. Rhwygwch y dail basil a'u cymysgu yn y salad cyn gweini.

Mae'r pryd hwn yn flasus gyda chigoedd barbeciw, cyw iâr wedi'i rostio neu bysgod.

Panzanella salad (Tuscan tomato and bread salad)

This is the perfect little extra for every picnic or barbecue – it's ideal as a packed lunch on its own or as a side dish to complement any cold platter. The ingredients list is long, but it's well worth it.

½ red onion, thinly sliced
1 red pepper
1 yellow pepper
8 ripe tomatoes - big ones are better
200g stale homemade bread
drizzle of flavoured oil (garlic or chilli)
4 tablespoons of wine vinegar
1 tablespoon of capers
2 anchovies, finely chopped
1 small clove of garlic, crushed
6 tablespoons of extra virgin olive oil
ground black pepper
a handful of fresh basil and/or parsley

Chop or tear up a stale loaf of bread and place it on a baking tray. Drizzle over a little garlic or chilli olive oil. Place in the oven and bake for just 20 minutes on a low heat to dry out and colour slightly. This helps the bread stay firm in the salad.

Chop the tomatoes and peppers and place them in a bowl. Season them with salt and pepper. Mix the capers, the onions and the anchovies in another bowl, then stir in 2 tablespoons of vinegar and about 6 tablespoons of extra virgin olive oil. Mix well, taste and add a little more salt, pepper, vinegar or oil, if needed.

Add the dressing to the tomatoes and peppers. Finish by adding the garlic croutons. Tear in the basil leaves, stir together and serve.

This dish is delicious with barbecued meats, roast chicken or fish.

Sut i gwato moronen mewn teisen!

How to hide a carrot in a cake!

Teisennau bach annisgwyl

Surprise carrot cupcakes

3 wy (180g)
180g siwgwr mân
180g menyn / margarîn
150g blawd codi

Ar gyfer y moron:
lliw bwyd oren

Ar gyfer y deisen siocled:
30g powdr coco

Ar gyfer y ganache:
200g siocled tywyll
100g siocled llaeth
250ml hufen dwbl
sbrigau o fintys

3 eggs (180g)
180g caster sugar
180g butter/margarine
150g self-raising flour

For the carrots:
orange food colouring

For the chocolate cake:
30g cocoa powder

For the ganache:
200g dark chocolate
100g milk chocolate
250ml double cream
sprigs of mint

Twymwch y ffwrn i 160°C / 140°C (ffan) / 320°F / nwy 3.

Pwyswch yr wyau yn eu masgl a chofnodwch y pwysau (dylai fod tua 180g). Pwyswch yr un faint o fenyn a siwgwr a'u rhoi mewn powlen i'w cymysgu nes bod y gymysgedd yn olau a fflwffog. Curwch un wy ar y tro i mewn i'r gymysgedd, hidlwch y blawd a'i blygu i mewn yn ofalus. Rhowch un cwpanaid o'r gymysgedd ar wahân ac ychwanegwch ddiferyn neu ddau o'r lliw bwyd oren nes ei fod yn troi'r un lliw â moronen. Rhowch hyn mewn dau gasyn papur i wneud dwy deisen fach oren a'u pobi am 15 munud.

Tynnwch nhw o'r ffwrn a'u gadael i oeri, yna torrwch nhw'n drionglau hir fel moron. Rhain yw eich moron cudd!

Trowch dymheredd y ffwrn i 170°C / 150°C (ffan) / 335°F / nwy 3.

Rhowch y powdr coco yn y gymysgedd sy'n weddill er mwyn gwneud teisennau siocled.

Llwywch ychydig o'r gymysgedd i sawl casyn papur a rhowch foronen sbwnj ynghanol pob un. Llenwch bob casyn â gweddill y gymysgedd siocled gan wneud yn siŵr bod pob moronen yn aros ar ei thraed. Gorchuddiwch dop y moron gyda'r gymysgedd a'u pobi yn y ffwrn am tua 15-20 munud.

Heat the oven to 160°C / 140°C (fan) / 320°F / gas mark 3.

Weigh the eggs in their shells and record the weight (should be about 180g). Weigh out the same amount of sugar and butter and place them in a mixing bowl then cream them together until pale and fluffy. Beat in one egg at a time, then sift in the flour, and fold into the mixture. Remove a cup full of the mixture and stir in a few drops of orange food colouring until it turns carrot colour. Place this into two paper cases to make two orange coloured cupcakes and bake for 15 minutes.

Remove from the oven and allow to cool, then cut each cake up to make long triangles or carrot shapes. These are your hidden carrots!

Turn up the oven to 170°C / 150°C (fan) / 335°F / gas mark 3.

Add the cocoa powder to the remaining mixture, to make chocolate cakes.

Spoon a little of the mixture into cake cases and add an orange sponge carrot shape into the middle. Carefully top up with chocolate cake mixture, ensuring that the carrot remains upright. Once the carrots are hidden, bake in the oven for 15-20 minutes until cooked.

 tip I gadw'r moron yn eu lle, defnyddiwch fag eisin i beipio gweddill y gymysgedd o'u hamgylch. Mae'n gwneud bywyd yn haws a gwneud llai o lanast!

tip To keep the carrots in place, use a piping bag to pipe the remainder of the mixture around them. It makes life easier and a lot less mess!

Er mwyn addurno:

Gwnewch y ganache trwy gynhesu'r hufen a'r siocled mewn sosban fach. Cymysgwch yn dda nes bod y siocled wedi toddi. Gadewch iddo oeri a dechrau caledu trwy arllwys y cwbl ar hambwrdd fflat glân - mae hyn yn cyflymu'r oeri rywfaint. Addurnwch y teisennau bach gyda'r ganache siocled tywyll. Ychwanegwch sbrigyn o fintys i ganol pob teisen (a fydd yn edrych fel dail). A dyna ni – teisennau bach siocled gyda moron mintiog melys!

To decorate:

Make the ganache by warming the cream and chocolate in a small saucepan. Mix thoroughly until the chocolate has melted. Allow to cool, and firm up by pouring the mixture onto a clean flat tray – this helps it to cool a little faster. Decorate the top of the cakes with dark chocolate ganache. Add a sprig of mint to the centre of each cake. (To look like leaves.) Now you have a minted chocolate carrot cake!

Gwnewch "S'mores"

Diffiniad:

Trît poblogaidd yn Unol Daleithiau America a Chanada, i'w fwyta wrth y tân gwersyll yw "s'more". Y gred yw bod y mudiad Girl Scouts yn America wedi cyhoeddi rhestr o fwydydd gwersyll ac enw un rysáit oedd "some mores" – malysen felys wedi'i rhostio yn y tân cyn ei rhoi rhwng dau dalp o siocled ar ddau gracer melys. Doeddwn i ddim wedi profi "s'mores" cyn ymweld â Josh, y mab ieuengaf, yng Nghanada dros yr haf. Roedd wedi bod yn teithio ac yn gweithio yn rhai o'r canolfannau sgïo yno, ac wedi dechrau dilyn arferion Canadaidd, ac mae bwyta "s'mores" yn un ohonynt.

Y cyfan sydd ei angen arnoch yw pecyn o falws melys mawr, bar neu ddau o'ch hoff siocled a bisgedi gwenith. I wneud "s'more" torrwch y siocled yn ddarnau, a'u gosod ar ben y bisgedi gwenith - mae angen dwy fisgïen i wneud un "s'more". Nawr rhostiwch y malws melys yn y tân, a phan maen nhw'n feddal braf, rhowch nhw ynghanol y frechdan rhwng y siocled a'r bisgedi. Bydd y gwres yn toddi'r siocled i greu llanast blasus, melys, cynnes yn eich llaw.

 Defnyddiwch fisgedi siocled - fydd dim angen siocled ychwanegol ac mae'n gwneud bywyd ychydig yn haws.

Make S'mores

Definition:

A s'more is a traditional campfire treat popular in the USA and Canada. It's believed to come from an American Girl Scouts' recipe for 'some mores' and consists of a toasted marshmallow and a layer of chocolate sandwiched between two pieces of graham cracker (sweet biscuit). I'd never tried s'mores until we visited Josh, my youngest son, in Canada this summer. He'd been travelling and working at some of the lovely scenic ski resorts over there, and had picked up a few Canadian habits, and eating s'mores was one of them.

All you need is a pack of giant marshmallows, a bar or two of your favourite chocolate and some digestive biscuits. To make a s'more, break up the chocolate bars into pieces, and divide them out onto the digestive biscuits, you need two biscuits per s'more. Now toast the marshmallows in the campfire, and when they are nice and gooey, sandwich each one between two biscuits. The heat of the marshmallow will melt the chocolate and become a warm delicious mess!

 Use chocolate digestives, then you won't need extra chocolate, and it makes the job a little easier.

Sgon ar ffon

Gwnewch gymysgedd sgon trwy rwbio 80g o fenyn i mewn i 300g o flawd codi. Ychwanegwch binsiad o halen a llond llwy ford o siwgr i'w felysu. Arllwyswch tua 1 cwpanaid o laeth ynddo. Ar ôl cymysgu, dylai ffurfio toes. Rholiwch ychydig ohono gyda'ch bysedd i wneud siâp neidr denau neu fwydyn. Lapiwch hwn o gwmpas ffon a'i goginio yng ngwres y tân neu farbeciw. Peidiwch â rhoi'r gymysgedd yn y fflamau neu fe fydd yn llosgi. Trowch y ffon yn araf a'i wylio'n coginio. Dipiwch mewn jam am drît hyfryd ar ddiwedd noson.

Stick scones

Make a basic scone mixture by rubbing 80g butter into 300g self-raising flour. Add a pinch of salt and 1 tablespoon of sugar to sweeten. Pour in about 1 cup of milk. After mixing, it should come together to make a dough. Roll a small amount of the dough with your fingers to make a long thin snake or worm shape. Wrap it around a stick and cook it in the heat of the bonfire or barbecue. Don't put the mixture too near the flames or it will burn. Just turn the stick slowly and watch it cook. Dip the scone in some jam for a lovely end of evening treat.

Adeiladwch dân gwersyll (yn ddigon pell o'r babell!) Defnyddiwch foncyffion fel seddi, canwch ganeuon a choginio'ch swper ar y tân cyn rhostio malws melys. Mae'n fendigedig, bydd eich plant yn diolch i chi ac yn trysori'r atgofion am byth.

Build a campfire (at a safe distance from the tent!) Use logs as seats, sing songs and cook supper over the fire and finish with toasted marshmallows. It's heavenly, and your kids will thank you for it and treasure the memories forever.

Sul Y Tadau

Dad yw'r gore!

Mae Sul y Tadau, fel Sul y Mamau yn ddiwrnod arbennig. Mae'n gyfle i roi sylw haeddiannol i Dad ac i'r plant gael dathlu gydag e a chreu atgofion melys. Felly, trefnwch rywbeth ffantastig, ewch dros ben llestri i gael diwrnod y bydd pawb, yn enwedig Dad, yn ei gofio am amser maith.

Fydd dim llawer o dadau'n gwrthod brecwast BLT (bacwn, letys a thomato), yn enwedig ar ei ben-blwydd! Ewch â hyn gam ymhellach gan ddefnyddio cig moch wedi'i rostio mewn surop masarn, gyda chaws meddal a bara cartref. Waw. Ond byddwch yn barod i wneud hyn bob penwythnos!

Father's Day

Dad rules!

Father's Day is a special day, as is Dad's birthday. These are great times for the children to celebrate and party with Dad. So have an amazing day, go over the top, and it will always be a day for the whole family, especially Dad, to remember for a long time. Make memories!

No dad will turn his nose up at a great BLT (bacon, lettuce and tomato) breakfast, especially on his birthday! Take this a step further and use maple syrup roasted bacon with soft cream cheese and homemade flat breads. Wow, now just be prepared to make it every weekend!

Bara fflat ffantastig

3 cwpanaid o flawd
2 lond llwy ford o olew olewydd
300ml-400ml dŵr llugoer
1 llond llwy de o halen
1 llond llwy de o furum sych

Rhowch y blawd, y burum a'r halen mewn powlen fawr a'u cymysgu. Dechreuwch ychwanegu'r dŵr, yn raddol, gan gymysgu'r toes gyda llwy. Ychwanegwch ddigon o ddŵr i wneud toes meddal iawn sydd bron yn slwtsh. Tylinwch y toes am tua 5 munud a'i roi mewn powlen wedi'i gorchuddio â lliain (neu gap cawod!)

Gadewch i'r toes godi mewn lle cynnes am hyd at awr. Pan fydd y toes yn barod, gwnewch siapau bach gwastad a'u ffrio mewn ffrimpan am tua 4 munud bob ochr.

Fantastic flatbreads

3 cups of flour
2 tablespoons of olive oil
300-400ml lukewarm water
1 teaspoon of salt
1 teaspoon of dried yeast

Place the flour, yeast and salt in a large mixing bowl and stir to mix. Start adding the water, gradually, mixing the dough with a spoon. Add enough water to make a very soft and almost sloppy dough. Knead the dough for about 5 minutes and place in a bowl and cover with a tea towel (or shower cap!)

Allow to rise in a warm place for up to an hour. When the dough is ready, shape into small flatbreads. Gently fry them in a frying pan for about 4 minutes each side until cooked

Cig moch a surop masarn

Mae hwn yn rhwydd iawn... ac eto, mor flasus.

cig moch brith
surop masarn

Twymwch y gril.

Rhowch ychydig o gig moch o ansawdd da ar gril weiren dros dun crasu wedi'i leinio â ffoil. Rhowch o dan y gril poeth am tua 6 munud nes ei fod yn dechrau crimpio. Brwsiwch ddwy ochr y cig moch gyda surop masarn a'i ddychwelyd i'r gril am 2 funud arall i bob ochr. Gadewch iddo oeri ychydig.

Mae'r surop masarn yn mynd yn boeth iawn felly byddwch yn ofalus!

Fel arall, am fersiwn gyflym (gyda llai o lanast i'w lanhau) ffriwch y cig moch mewn ffrimpan nes ei fod yn dechrau crimpio, draeniwch y saim a diferwch y surop masarn dros y cig a'i ffrio nes ei fod yn grimp.

Maple syrup roasted bacon

This is so simple... yet so delicious.

streaky bacon
maple syrup

Preheat the grill.

Place some good quality streaky bacon on a wire grill over a foil-lined baking tray and place under the hot grill for about 6 minutes until slightly crispy. Brush both sides of the bacon with maple syrup and return to the grill for another 2 minutes per side. Allow to cool slightly.

The maple syrup gets very hot so be careful!

Alternatively, for a quick version (with less mess to wash up) fry the bacon in a pan until slightly crispy, drain off the excess fat, drizzle over the maple syrup and fry again until crispy.

BLT danteithiol Dad

I greu'r brecwast rhyfeddol yma:
Defnyddiwch fara ffres, hyfryd, mae'r bara fflat
(rysáit uchod) yn berffaith. Ychwanegwch haenen
o letys iceberg wedi'i rhwygo â llaw, neu hoff salad
Dad; dewiswch rhwng: sbigoglys, sbrigau pys, dail
letys cymysg neu roced. Ychwanegwch domatos
melys wedi'u sleisio ac yn olaf, y bacwn â surop
masarn. Diferwch fwy o'r surop cyn gweini.
Am ychydig fwy o flas ychwanegwch saws
barbeciw cartref (rysáit isod).

Dad's deluxe BLT

Now assemble this amazing breakfast!
Use deliciously fresh bread, a homemade flatbread
(recipe above) would be perfect. Add a layer of torn
iceberg lettuce or any of Dad's favourite greens,
choose from spinach, pea shoots, mixed lettuce
leaves or rocket. Top with sliced sweet tomatoes
and finally add the beautifully flavoured maple
bacon. Add another drizzle of syrup and serve. For a
little extra punch, add a little homemade barbecue
flavoured sauce (recipe below)

Sôs Dad – sôs barbeciw cyflym

1 winwnsyn, wedi'i dorri'n fân neu wedi'i sleisio
1-2 ewin garlleg, wedi'u malu
¾ cwpanaid o sôs coch
2 lond llwy ford o siwgwr brown tywyll
1 llond llwy ford o finegr gwin gwyn
1 llond llwy ford o saws Swydd Gaerwrangon
2 lond llwy de o baprika
1 llond llwy ford o bowdwr mwstard
dewisol: ¼ - ½ llond llwy de o bupur cayenne
(yn grêt am gic bach o wres)

tip Os nad oes gennych siwgwr brown tywyll, bydd siwgr brown golau yn gwneud y tro.

Ffrïwch y winwnsyn am 2 funud yn unig, i'w feddalu. Byddwch yn ofalus - os yw pethau'n poethi gormod, ychwanegwch ddiferyn o ddŵr i osgoi llosgi'r winwnsyn. Ychwanegwch y garlleg, ac unwaith eto, byddwch yn ofalus o'i losgi. Chwisgwch y cynhwysion eraill ynghyd mewn jwg a'u hychwanegu at y winwns a'r garlleg. Mudferwch am funud neu ddwy i goginio'r winwnsyn, yna tynnwch oddi ar y gwres a'i adael i oeri.

Er bod hwn yn gwneud marinâd anhygoel ar gyfer cig, gallwch ei ddefnyddio fel saws ar fyrgyrs neu frechdanau neu gyda bacwn amser brecwast. Defnyddiwch fel saws brown, efallai ei roi mewn potel â label "Sôs Dad" arni.

Dad's Sauce - very quick barbecue sauce

1 onion, finely diced or sliced
1-2 cloves of garlic, crushed
¾ cup of ketchup
2 tablespoons of dark-brown sugar
1 tablespoon of white wine vinegar
1 tablespoon of Worcestershire sauce
2 teaspoons of paprika
1 tablespoon of mustard powder
optional: ¼ - ½ teaspoon of cayenne pepper
(good for a little kick of heat)

tip Light brown sugar will do if you don't have dark brown.

Fry the finely chopped onion for just 2 minutes to soften. Be careful – if things get a little hot, add a drop of water to cool things down and avoid burning the onion. Add the garlic, and again, be careful not to burn it. Whisk together all the other ingredients in a jug and add to the onion and garlic. Simmer for a few minutes to cook the onion, then take off the heat and allow to cool.

Although this makes an amazing marinade for meat, you can also use it as a sauce on burgers, sandwiches or with bacon at breakfast time. Use it like brown sauce, maybe jar it up and place a 'Dad's Sauce' label on it.

BLT gyda chaws – ond heb yr "L"!

Rhowch fara fflat euraid wedi'i ffrio ar blât a'i orchuddio gyda chaws meddal hufennog, cyn ychwanegu sleisen o domato ac yn olaf, y bacwn â surop masarn. Diferwch fwy o surop drosto os oes ei angen.

A cheesy BLT – hold the L!

Place a pan fried golden flatbread on a plate, spread over a generous amount of soft cream cheese, add a slice of tomato and finally add some maple syrup roast bacon and drizzle with a little more syrup if needed.

Pastai cwrw Dadi

2 lond llwy ford o olew llysiau ar gyfer ffrio
1 kg o gig eidion stiwio, brwysio neu goes las,
wedi'i dorri'n dalpiau mawr
2 winwnsyn, wedi'u torri
1 pupur coch, wedi'i sleisio
2 ewin garlleg
2 ddeilen bae
2 sbrigyn teim ffres
500ml o stoc cig eidion
1 tun mawr o hoff gwrw Dad
2 lond llwy ford o biwrî tomato
halen a phupur du
2 lond llwy ford o flawd plaen
1 llond llwy de o jeli cwrens cochion neu jeli
melys arall
1 pecyn o grwst pwff

Twymwch y ffwrn i 160°C / 140°C (ffan) / 320°F / nwy 3.

Twymwch yr olew mewn dysgl gaserol fawr - mae
un anlynol yn ddelfrydol ac yn gwneud bywyd yn
haws pan ddaw'n amser golchi'r llestri! Rhowch
y cig mewn powlen fawr neu gwdyn plastig,
ychwanegwch y blawd plaen a chymysgwch yn
dda neu ysgwydwch y cwdyn i orchuddio'r cig.
Gwaredwch unrhyw flawd sy'n weddill a ffrïwch y
cig yn dda yn y ddysgl. Gwnewch fesul dipyn a bydd
y cig yn ffrio'n well – gorlenwch y ddysgl a bydd yr
olew yn oeri a'r cig ddim yn ffrio'n iawn. Tynnwch y
cig o'r ddysgl a'i roi o'r neilltu am ychydig funudau.
Ychwanegwch y winwns a'r pupur i'r ddysgl a'u
ffrio, gan ychwanegu ychydig o olew os oes angen.
Ychwanegwch y garlleg, y dail bae a'r teim a ffrïwch
am ychydig eto cyn ychwanegu'r cwrw, y stoc, y piwrî
tomato a'r jeli melys. Ychwanegwch unrhyw lysiau
ychwanegol, fel moron a madarch. Rhowch y cig a'i
suddion yn ôl yn y ddysgl gan ychwanegu halen a
phupur du. Rhowch y caead ar y ddysgl a'i rhoi yn y
ffwrn am 1½ awr hyd nes bod y cig yn dyner iawn.

Daddy's beef and beer pie

2 tablespoons of vegetable oil for frying
1kg stewing beef, braising beef or shin, cut into
large chunks
2 onions, roughly chopped
1 red pepper, sliced
2 cloves of garlic
2 bay leaves
2 sprigs of fresh thyme
500ml beef stock
1 large can of Dad's favourite beer
2 tablespoons of tomato purée
salt and ground black pepper
2 tablespoons of plain flour
1 teaspoon of redcurrant or other sweet jelly
1 pack of puff pastry

Heat the oven to 160°C / 140°C (fan) / 320°F /
gas mark 3.

Heat the oil in a large, lidded casserole dish, a
non-stick one is ideal and makes life easier when
it comes to washing up! Place the meat in a large
bowl or plastic bag, add the plain flour, then mix
together or shake well to cover the meat. Remove
any excess flour and brown the meat well in the
dish. You may need to do this in small batches, as
the meat will fry much better, overcrowding the dish
with meat will only cool down the oil and prevent
the meat from frying. Remove the meat from the dish
and set aside for a few minutes. Add the onion and
peppers to the casserole dish and fry them, adding
a little more oil if needed. Add the garlic, bay leaves,
thyme and fry them for a little while longer, before
adding the beer, stock, tomato purée and sweet jelly.
Add any additional vegetables, such as carrots and
mushrooms. Put the beef and its juices back into the
dish, season with salt and black pepper. Put the lid on
the casserole dish and place in the oven for 1½ hours
until the meat is really tender.

I wneud y pastai:

Rholiwch y toes pwff ar wyneb wedi'i ysgeintio â blawd a, naill ai ei dorri i ffitio'r ddysgl gaserol neu ei dorri i ffitio dysglau ramecin neu ddysglau caserol bach (os ydych chi'n dymuno gwneud pasteiod unigol).

Naill ai:

Gorchuddiwch y cig gyda'r toes, brwsiwch gyda chymysgedd o laeth ac wy a'i ddychwelyd i'r ffwrn am tua ½ awr nes bod y crwst yn pwffio ac wedi troi'n euraid.

Neu:

Trosglwyddwch rywfaint o'r llenwad i'r dysglau unigol, gorchuddiwch â thoes pwff, brwsiwch gyda chymysgedd o laeth ac wy a'u rhoi yn y ffwrn am tua ½ awr nes bod y crwst yn pwffio ac wedi troi'n euraid.

Bwytwch gyda salad neu lysiau wedi'u stemio a thatws stwnsh hufennog.

To make the pie:

Roll out the puff pastry on a floured surface, and either cut to fit the casserole dish you have used or cut to fit small individual ramekins or small casserole dishes (if you wish to make individual pies).

Either:

Add the pastry to the top of the meat, brush with an egg wash (milk and egg mix) and return to the oven to cook the pastry, about ½ hour.

Or:

Transfer some of the filling into the individual dishes, top with pastry, brush with egg wash and bake in the oven for ½ hour until the pastry is puffed and golden.

Serve with salad or steamed vegetables and creamy mashed potato.

Gwnewch galon o felysion

Yn addas i blentyn ei gwneud..... gyda bach o help.

Mae tadau'n caru losin a siocledi gymaint ag unrhyw un arall! Mae gan bawb eu ffefrynnau, felly prynwch stoc da ar gyfer Sul y Tadau neu ben-blwydd Dad.

Defnyddiwch ddarn stiff o weiren (mae hen hanger metel yn ddelfrydol – plygwch y bachyn nes ei fod yn cwympo bant, neu defnyddiwch bleiars, ond byddwch yn ofalus!)

Gosodwch hoff losin Dad ar y weiren a'i phlygu i wneud siâp calon. Clymwch fwa gyda rhuban ac ychwanegwch neges bersonol ar label lliwgar. Un peth arall - gwnewch addewid i beidio a bwyta dim!

Make a sweetie heart

Suitable for a little one to make... with a little help.

Dads love sweets and chocolates as much as anyone else! They all have their favourites, so buy a good stock of them for Father's Day or Dad's birthday.

Use a stiff piece of wire (an old wire coat hanger is ideal – keep bending it until the hook falls off – or use wire cutters but be careful!)

Thread Dad's favourite sweets onto the wire and bend it to make a heart shape. Tie some ribbon into a bow and leave some extra length with which to hang the heart. Add a personal message on a gift tag and promise not to eat any!

Teisen i Dad

Pobwch hoff deisen Dad a'i haddurno gyda lliwiau ei hoff dîm chwaraeon. P'un ai yw e'n dwlu ar bêl droed neu rygbi, yn feiciwr brwd, neu'n ddilynwr rasio Fformiwla 1 – gwnewch deisen i siwtio!

Prynwch eisin sy'n barod i'w rolio neu gwnewch eisin gan ddefnyddio lliwiau bwyd ac ychwanegwch rubanau, neu hyd yn oed deganau addas (ceir bach neu beli troed, peli rygbi neu unrhyw addurniadau perthnasol eraill) i greu'r olwg a ddymunir..

Cofiwch, does dim terfyn ar y themâu posib: garddio, coginio, darllen, pysgota, ffotograffiaeth, criced, golff, ceir, gwersylla, rhedeg, ffermio, coffi, cwrw ... beth bynnag sy'n mynd â bryd Dad.

Peidiwch ag anghofio am Dad-cu. Beth am gael diwrnod Tad-cu a Dad?

Make a cake

Make your Dad's favourite cake, and decorate it to match his favourite team colours. Whether he's football crazy, rugby mad, a keen cyclist, or a Formula 1 enthusiast, decorate a cake to suit.

Either buy ready to roll icing in the team colours or make your own butter icing using food colouring, add sprinkles and ribbons, or even little toys (new or very clean little cars or footballs/rugby balls or other suitable decorations) to create the final look.

Remember, the theme of the cake could be gardening, cookery, reading, fishing, photography, cricket, golf, cars, camping, running, farming, coffee, beer... whatever your dad likes.

Don't forget about Grandad too. Have a Dad and Grandad day!

Y Parti Pen-blwydd

Pen-blwydd hapus Sali Mali!

Mae trefnu parti pen-blwydd i un o'ch anwyliaid, yn enwedig eich plentyn, yn gallu bod yn hwyl, ond yn dipyn o straen hefyd. Bydd y plentyn yn cyffroi wrth feddwl am ddathlu gyda'i ffrindiau, ac mae'r disgwyliadau'n uchel felly dydych chi ddim eisiau ei siomi. Dewiswch liw neu thema, yn seiliedig ar hoff bethau eich plentyn (sy'n newid drwy'r amser!) a byddwch chi'n siŵr o blesio.

Gan ei bod hi'n ben-blwydd ar Sali Mali yn yr haf, dyma'r thema ar gyfer y parti yn y bennod yma. Rwyf am gynllunio parti tu fa's (yn ddibynnol ar y tywydd, wrth gwrs) lle bydd digonedd o le i'r rhai bach redeg o gwmpas. Bydd teisen Sali Mali, a bydd y lliw oren – hoff liw Sali Mali a lliw ei ffrog eiconig – yn amlwg iawn.

Gan fod trefnu parti yn waith caled, rwy'n mynd i wneud bywyd ychydig yn haws trwy gafflo ychydig. Gallwch brynu digon o eisin ffondant wedi'i liwio ac addurniadau teisen bwytadwy. Ar ôl gorchuddio'r deisen, trefnwch yr addurniadau ar y top. Os ydych yn teimlo'n fentrus, gallwch wneud ffigurau bach (fel Sali Mali a'i ffrind, Jac Do) allan o'r eisin ffondant trwy gopïo lluniau sydd mewn llyfr. Mae'n haws nag ydych chi'n ei feddwl. Cymerwch eich amser a chewch chi siom ar yr ochr orau!

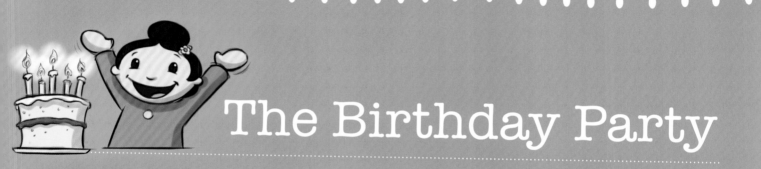

The Birthday Party

Happy Birthday Sali Mali!

Arranging a birthday party for someone you love, especially your child, is very rewarding but can be stressful. They will be so excited at the prospect of becoming a year older, celebrating with their friends, and the expectations are high, so you don't want to disappoint. If you choose a theme or colour for the party, based on your child's latest preferences (which are constantly changing!) you're sure to please.

Since Sali Mali's birthday is in the summer and I'm dedicating this chapter to her, I've decided to plan an outdoor party (weather permitting of course) where there's plenty of room for everyone to run around to their heart's content. I'm making a Sali Mali cake which, I'm sure children will love, and the colour orange, Sali's favourite colour and the colour of her iconic dress, will feature prominently.

As throwing a party is hard work I'm going to help you make life easy and cheat a little! To make a brightly coloured children's novelty cake, buy plenty of coloured fondant icing and edible cake decorations. Once you've covered the cake, carefully arrange the decorations on top. If you're feeling arty, try making little fondant icing characters (like Sali Mali and her best buddy, Jac Do) by copying from images or pictures in a book. It's easier than you might think. Just take your time and you may be pleasantly surprised.

Teisen Sali Mali (oren a leim)

225g menyn
225g siwgwr mân
275g blawd codi
1 llond llwy de o bowdr pobi
4 wy
4 llond llwy ford o laeth
croen 1 oren wedi'i gratio
croen 2 leim wedi'u gratio
sudd 1 oren

I addurno:
eisin ffondant wedi'i liwio
addurniadau bwytadwy

Leiniwch dun teisen gyda phapur gwrthsaim a thwymwch y ffwrn i 160°C / 140°C (ffan) / 320°F / nwy 3.

Cymysgwch y prif gynhwysion gyda'i gilydd yn dda mewn powlen fawr. Mae'n haws defnyddio cymysgydd trydan ond mae llwy bren yn gwneud yr un gwaith. Llenwch y tun gyda'r gymysgedd a'i llyfnhau gyda chefn llwy. Rhowch yng nghanol y ffwrn am tua 45 - 50 munud hyd nes bod y top yn teimlo'n weddol gadarn i bwysau blaen bys ac yn dechrau crebachu wrth ochrau'r tun. Gadewch i'r deisen oeri am rai munudau yn y tun cyn ei rhoi ar restl weiren.

Ar ôl iddi oeri, brwsiwch haenen denau o jam bricyll a gosodwch haenen o'r eisin ffondant wedi'i liwio dros y deisen. Defnyddiais i eisin ffondant gwyrdd i orchuddio teisen Sali Mali, ond mae'n bosib defnyddio eisin menyn, sy'n ffordd gyflymach i orchuddio'r deisen (400g siwgwr eisin, 125g menyn, diferyn neu ddau o liw bwyd ac un neu ddwy lwyaid o ddŵr). Yna, ychwanegwch yr addurniadau eraill a'r canhwyllau pen-blwydd.

tip Gwnewch deisennau bach ar gyfer partïon plant neu ddigwyddiad i godi arian yn yr ysgol. Ychwanegwch flodyn Sali Mali syml neu iâr fach yr haf i bob teisen. Defnyddiwch eisin o liw gwahanol i bob teisen i wneud sioe o liw ar blât.

Sali Mali cake (Orange and lime)

225g butter
225g caster sugar
275g self-raising flour
1 teaspoon of baking powder
4 eggs
4 tablespoons of milk
grated rind of 1 orange
grated rind of 2 limes
juice of 1 orange

Decoration:
coloured fondant icing
edible cake decorations

Line a cake tin with greaseproof paper, and pre-heat the oven to 160°C / 140°C (fan) / 320°F / gas mark 3.

In a large bowl mix all the ingredients until well-blended, an electric mixer makes life easier, but you can also mix with a wooden spoon. Pour the mixture into the lined tin and level the top with the back of a spoon. Bake in the middle of the pre-heated oven for about 45-50 minutes or when the top feels slightly firm when pressed and is beginning to shrink away from the sides of the tin. Allow the cake to cool in the tin for a few minutes then place onto a wire cooling rack.

Once the cake has cooled, brush on a thin layer of apricot jam and a layer of rolled out coloured fondant icing. I used a green fondant icing to cover my Sali Mali cake. Alternatively for a quicker result, cover the top with butter icing (400g icing sugar, 125g butter, a few drops of food colouring and a few teaspoons of water). Finally add all the cake decorations and birthday candles.

tip

Am deisen frith bert, ychwanegwch lond llwy ford o hadau pabi.

Add a tablespoon of poppy seeds for a pretty speckled cake

tip

Make cupcake versions for children's parties or for school fundraisers. Add a simple Sali Mali flower or butterfly to each cake. Use different coloured fondant icing for different individual cakes and you'll have a vibrant display in no time at all.

Teisen ddathlu noeth

Teisen i'r oedolion, ond un fydd at ddant pawb.

Twymwch y ffwrn i 160°C / 140°C (ffan) / 320°F / nwy 3.

Gellir defnyddio unrhyw rysáit i wneud y deisen. Defnyddiwch y rysáit uchod (oren a leim) neu rhowch flas iddi gyda 2 lond llwy ford o ddiod ysgaw neu lemwn, fanila, siocled... dewiswch chi. Llenwch nifer o duniau teisen o amrywiol faint, a'u pobi. Cofiwch amcanu amseroedd pobi gwahanol ar gyfer pob teisen o faint gwahanol. Po fwyaf, po ddyfnaf y deisen, yr hiraf yr amser y bydd angen iddi aros yn y ffwrn. Os yw'r deisen yn dechrau brownio'n rhy gyflym, trowch y tymheredd i lawr i 150°C / 130°C (ffan) / 300°F / nwy 2, er mwyn ei harbed rhag llosgi.

Ar ôl eu pobi a'u hoeri, gallwch gael digon o sbort!

Gwnewch gymysgedd teisen gaws (gweler y rysáit nesaf) a'i defnyddio i lynu'r haenau o deisennau at ei gilydd yn ofalus. Mae'n bwysig bod yn ofalus i beidio a chrafu'r teisennau a chael briwsion yn y gymysgedd. Er mwyn osgoi gwneud hyn, llwythwch gyllell balet gyda digonedd o'r eisin caws hufen a byddwch yn hyderus a phenderfynol. Cadwch yr eisin tuag at big y gyllell a gweithiwch yn weddol o gyflym.

Gorchuddiwch ran helaeth o'r deisen gan adael rhannau ohoni'n noeth.

Rhowch fefus, llus, grawnwin a mafon ar ochrau'r tŵr ac ychwanegwch ddail mintys i lenwi'r bylchau gyda thasgiad o wyrddni. Defnyddiwch flodau bwytadwy os oes rhai gennych chi. Yn olaf, ysgeintiwch y cwbl gyda siwgwr eisin, a dyna ni. Mae eich campwaith yn barod i greu argraff ar bawb, ond peidiwch â datgelu pa mor rhwydd yw ei gyflawni.

Naked celebration cake

A more grown-up cake, but one that everyone will enjoy!

Preheat the oven to 160oC / 140oC (fan) / 320oF / gas mark 3

The cake itself can be made with any cake recipe you like. Use the orange and lime version above or flavour your cakes with 2 tablespoons of elderflower cordial, or lemon, vanilla, chocolate... the choice is yours. Fill several various sized cake tins, and bake. Remember that all the cakes will require different cooking times as they are all a different size. The larger and deeper the cake, the longer it takes in the oven. If the cake browns too quickly, turn the temperature down to 150oC / 130oC (fan) / 300oF / gas mark 2 to prevent it from burning.

Once they are cooked and cooled, the fun can begin!

 If you have time and you are a confident baker, make each layer a different flavoured cake.

Make a batch of cheesecake mixture (see the next recipe in this chapter) and use it to carefully sandwich the layers together. I say carefully, as it's important not to scrape the cake and fill the mixture with cake crumbs. To avoid this, load the pallet knife up with plenty of cream cheese icing and be decisive and confident! Keep the cream towards the tip of the knife and work reasonably quickly.

Cover most of the cake, but allow parts of it to show through.

Place strawberries, blueberries, grapes and raspberries on the sides of the tiers and add mint leaves for a little splash of green and to fill gaps. Use edible flowers if you have them. Finally add a little dusting of icing sugar and your work is complete. Now impress everyone with your masterpiece but don't tell them how easy it is to achieve!

 Add nuts and dried fruit as well as or instead of fresh fruit, especially when summer berries are out of season. Use blackberries in late summer, and kumquat oranges at Christmas.

tip

Os nad ydych yn brin
o amser a'ch bod yn
bobydd hyderus,
gwnewch bob teisen â
blas gwahanol.

tip

Defnyddiwch gnau a
ffrwythau sych os nad
oes rhai ffres ar gael.
Defnyddiwch fwyar
duon ar ddiwedd haf
ac orennau cymcwat
adeg y Nadolig.

Teisen gaws fricyll

ar gyfer y gwaelod:
250g bisgedi wedi'u malu
100g menyn wedi'i doddi

ar gyfer y llenwad:
300ml hufen dwbl wedi'i guro
600g caws meddal braster llawn
100g siwgwr eisin

ar gyfer addurno:
bricyll wedi'u sleisio'n denau
jam bricyll

 tip Rwy'n defnyddio bricyll ar ben y deisen er mwyn cael lliw oren, sef hoff liw Sali. Gallwch chi greu teisen gaws aeron coch trwy newid yr addurn i fefus wedi'u sleisio, mafon ac, efallai, llond dwrn o lus.

Rhowch y bisgedi mewn cwdyn plastig a'u malu gyda rholbren i greu briwsion. Rhowch nhw mewn powlen, ychwanegwch y menyn wedi'i doddi a chymysgwch yn dda. Rhowch y cwbl ar waelod dysgl darten neu ramecinau unigol neu jariau, a'i wasgu'n fflat.

Curwch yr hufen nes ei fod e'n stiff. Trowch y caws i'w lacio a'i felysu gyda'r siwgwr eisin. Ychwanegwch yr hufen a throwch y gymysgedd yn ofalus i sicrhau ei bod yn llawn aer ac mor ysgafn â phosib. Llwywch y gymysgedd ar ben y briwsion bisgedi a'i rhoi i oeri yn yr oergell.

Cyn gweini, addurnwch gyda'r bricyll wedi'u sleisio, a'u gorchuddio â haenen denau o jam bricyll wedi'i doddi..

 tip Cymysgwch y llenwad hufen a chaws ymlaen llaw, ei roi mewn bag eisin wedi'i gau gyda chlip rhewgell, a'i gadw yn yr oergell hyd nes eich bod yn barod i weini. Llenwch y ddysgl ar ben y briwsion bisgedi ar y funud olaf er mwyn eu cadw'n grimp.

Apricot cheesecake

For the base:
250g biscuits, crushed
100g butter, melted

For the filling:
300ml double cream, whipped
600g full fat soft cheese
100g icing sugar

For decoration:
thin slivers of apricot
apricot jam

 tip I'm using apricots to decorate this cheesecake because orange is Sali's favourite colour. You can turn it into a red berry cheesecake just by using sliced strawberries, raspberries and perhaps a handful of blueberries

Put the biscuits into a plastic bag and bash with a rolling pin until crumbed. Then pour them into a bowl. Add the melted butter and mix well. Place into the bottom of a flan dish or individual ramekins or jars and flatten firmly.

Whip up the double cream until firm. Stir the cream cheese to loosen it up, and mix in the icing sugar to sweeten. Now fold in the double cream, mix well but take your time, and try to keep the mixture as light as possible. Spoon the cream topping onto the biscuit base and chill in the fridge.

Before serving, decorate with slivers of apricot and cover with a thin layer of melted apricot jam.

 tip Make the cheese and cream filling in advance; load it into an icing bag, seal with a freezer clip and store in the fridge until you are ready to serve. Simply fill the biscuit base at the last minute so that it remains crisp.

tip Gwnewch fersiynau llai heb y gwaelod bisgïen. Llenwch botiau jam, eu cau a'u cadw yn yr oergell. Yna, rhowch ffrwythau ffres ar eu pennau cyn gweini. Mae jariau cyffaith yn dda iawn at y pwrpas hwn hefyd.

tip Make smaller versions without the biscuit base. Fill clean jam jars, replace the lids and store in the fridge until needed, top with fresh fruit before serving. Small sealed preserving jars work well too.

Os ydych chi'n trefnu parti tu fa's yn yr haf – efallai bod eich ysgol neu'ch ysgol feithrin yn cynnal parti Sali Mali – bydd angen digon o fwyd parti arnoch. Rhowch gynnig ar rhain:

If you're having an outdoor party this summer – you may even be having a Sali Mali Party at your school or nursery – you'll need plenty of party snacks. Here are a few ideas:-

Rholiau selsig ac afal

1 pecyn o grwst pwff
1 wy wedi'i guro
1 pecyn o selsig plaen/perlysiog
1 afal wedi'i phlicio a'i sleisio

Twymwch y ffwrn i 190°C / 170°C (ffan) / 375°F / nwy 5.

Rholiwch y toes i ffurfio siâp petryal mawr. Torrwch y petryal yn ei hanner ar ei hyd i wneud dwy stribed hir. Gosodwch y selsig droed wrth ben ar hyd ymyl hir y ddwy stribed, a brwsiwch yr ymyl arall gyda'r wy wedi'i guro. Blasuswch gydag ychydig o halen a phupur a sleisen o'r afal. (Gallwch chi hefyd ychwanegu winwnsyn wedi'i ffrio a chwistrelliad bach o sôs coch neu fwstard neu berlysiau.)

Rholiwch y toes o amgylch y selsig a defnyddiwch siswrn neu fforc i wneud patrwm ar ben y ddwy rôl. Brwsiwch gyda gweddill yr wy, taenwch ychydig o hadau pwmpen drostynt a'u pobi yn y ffwrn am tua 25 munud.

 Rhowch gynnig arnynt gyda phîn-afal neu stribedi pupur.

Sausage and apple rolls

1 pack of puff pastry
1 egg (beaten)
1 pack of plain or herby sausages
1 apple, peeled and sliced

Pre-heat the oven to 190°C / 170°C (fan) / 375°F / gas mark 5.

Roll out the pastry to make a large rectangle. Cut the rectangle in two along its length to make two long strips. Lay the sausages end to end along the long edge of both strips, and brush the other edge of the pastry with beaten egg. Season with a little salt and pepper and a slice of apple. (You could also add fried onion and a small squirt of tomato ketchup or mustard or even some herbs if you like.)

Roll the pastry around the sausage and using a pair of scissors or a fork, make a pattern on the top of each one. Brush the top of each sausage roll with the rest of the egg, sprinkle with pumpkin seeds and bake in the oven for about 25 minutes.

 Try making them with pineapple or thin strips of pepper.

Wyau mawr mewn selsig

Yn gwneud 5 wy mewn selsig.

> 6 wy (5 i'w berwi ac 1 ar gyfer rhoi sglein)
> 10 selsigen (2 i bob wy)
> 2 gwpanaid o friwsion bara
> ychydig o flawd

Berwch yr wyau am 5 munud yn unig fel nad ydynt yn rhy galed. Defnyddiwch siswrn i dynnu croen y selsig. Gan ddefnyddio 2 selsigen ar y tro, fflatiwch y cig ar blât. Rhowch flawd ar eich dwylo i'w wneud yn haws. Tynnwch y masgl yn ofalus o'r wyau, golchwch nhw mewn dŵr oer a'u sychu gyda phapur cegin.

I orchuddio'r wyau gyda'r cig selsig, rhowch y cig fflat yng nghledr eich llaw, gosodwch yr wy ar ei ben a rholiwch y cig o amgylch yr wy. Ymestynnwch y cig nes bod y ddwy ochr yn cwrdd a rholiwch y cyfan i sicrhau bod yr uniad yn cadw at ei gilydd.

Trochwch bob wy mewn wy wedi'i guro ac yna ei rolio mewn briwsion bara. Ffrïwch bob wy yn ddwfn am tua 4-5 munud a'i droi i sicrhau fod pob ochr wedi'i choginio.

....
tip **Os oes plant yn helpu gwneud y rysáit yma, berwch yr wyau'n galed i osgoi llanast wrth dynnu'r masgl!**
....

Giant scotch eggs

Makes 5 scotch eggs

> 6 eggs (5 for hard-boiling and 1 for the glaze)
> 10 sausages (2 per egg)
> 2 cups of breadcrumbs
> a little flour

Boil the eggs for 5 minutes until set but not too hard. Using scissors, remove the skin from the sausages. Take 2 sausages at a time, pat the sausage meat flat on a plate. Flour your hands to make life easier. Carefully remove the shell from the eggs, wash the eggs in cold water and pat dry.

To cover the eggs with the sausage meat, place the flattened meat on the palm of your hand, place the egg on top and carefully roll the meat around the egg. Stretch the meat until it joins up and then roll the egg to ensure each join is secure.

Dip each covered egg into a bowl of beaten egg and roll them in breadcrumbs. Deep fry your scotch eggs for 4-5 minutes, then turn them over to ensure that all sides are cooked.

....
tip **If children are going to help you in the kitchen, make sure you hard boil the eggs, to prevent a mess as they remove the shell!**
....

Ffriter corn ffantastig

½ cwpanaid o bupur coch, oren neu felyn, wedi'i dorri'n fân

1 tun bach o india-corn

2 lond llwy ford o shibwns wedi'u sleisio'n denau

½ cwpanaid o flawd plaen

1 llond llwy de o bowdr pobi

½ llond llwy de o halen

pupur du

1 llond llwy de o sbeis Cajwn

¼ llond llwy de o halen garlleg neu ½ ewin wedi'i falu

1 wy mawr wedi'i guro

diferyn o laeth

2 lond llwy ford o olew llysiau ar gyfer ffrio

 I wneud fersiwn gawslyd, ychwanegwch ½ cwpanaid o gaws Parmesan wedi gratio.

Rhowch y pupur, yr india-corn a'r shibwns mewn powlen fawr. Ychwanegwch y blawd, y powdr pobi, yr halen, y pupur, y garlleg a'r sbeis Cajwn. Trowch y cyfan. Yna, ychwanegwch yr wy a chymysgwch nes bod y cynhwysion wedi cyfuno'n dda. Os yw'n ymddangos yn rhy sych, rhowch ddiferyn neu ddau o laeth ato nes ei fod yn drwchus ac yn diferu.

Twymwch ffrimpan fawr anlynol dros wres cymedrol Ychwanegwch ychydig o olew (mae olew llysiau neu gnau coco yn iawn - peidiwch â gwastraffu olew olewydd). Rhowch lond llwy ford o'r gymysgedd yn yr olew poeth a'i fflatio ychydig â chefn y llwy; gwnewch 3 neu 4 ffriter ar y tro. Coginiwch bob ffriter am 4 munud ar bob ochr neu hyd nes eu bod yn euraid.

Rhowch y ffriterau ar bapur cegin a'u gorchuddio â ffoil i'w cadw'n gynnes tra byddwch yn coginio'r gweddill. Pan maen nhw'n barod, bwytwch nhw gyda salad neu mewn rhôl fel byrger – gyda digonedd o salsa tomato.

Funtastic corn fritters

½ a cup of chopped red, orange or yellow pepper

1 small tin of sweetcorn

2 tablespoons of spring onions thinly sliced

½ cup of plain flour

1 teaspoon of baking powder

½ teaspoon of salt

ground black pepper

1 teaspoon of Cajun seasoning

¼ teaspoon of dried garlic granules or ½ clove crushed

1 large egg whisked

a drop of milk if needed

2 tablespoons of vegetable oil for frying

 For a cheesy version add ½ a cup of grated Parmesan cheese.

Place the peppers, sweetcorn and spring onions in a large bowl. Stir in the flour and baking powder, salt, pepper, garlic and the Cajun seasoning. Stir in the whisked egg until the mixture is evenly combined. If the mixture seems too dry add a splash or two of milk. The mixture should be a thick dropping consistency.

Heat a large non-stick frying pan over a medium heat. Add a little oil to the pan (vegetable oil or coconut oil is fine – don't waste olive oil). Spoon a tablespoon of the mixture into the hot oil and flatten slightly with the back of the spoon; cook 3 to 4 fritters at a time. Cook each fritter for 4 minutes on each side or until golden brown.

Drain on kitchen paper and cover with foil to keep warm while you cook the rest. Once you have cooked them all, serve with a salad or even in a bun like a veggie burger with plenty of tomato salsa.

Mae jeli a hufen iâ ar fwydlen pob parti pen-blwydd, ond mae'r ryseitiau nesaf ychydig yn wahanol i'r arfer.

No birthday party would be complete without jelly and ice cream, so here's a slightly different take on this classic combination.

Jeli prosecco (diod feddwol)

150ml dŵr
75g siwgwr mân
3 dalen o bapur gelatin
350ml prosecco neu win gwyn

I addurno:
mefus
hufen
blodau bwytadwy

Rhowch y dŵr a'r siwgwr mewn sosban fawr a'u twymo dros wres isel nes bod y siwgwr wedi ymdoddi'n llwyr. Tynnwch y sosban o'r gwres a'i rhoi o'r neilltu.

I wneud y jeli:
Meddalwch y papurau gelatin mewn powlen o ddŵr oer am tua 3 munud. Tynnwch nhw o'r bowlen a gwasgwch unrhyw ddŵr ohonynt cyn eu rhoi yn y surop a'u troi nes iddynt ymdoddi'n llwyr.

Estynnwch eich gwydrau pertaf neu wydrau siampên, ac agorwch y Prosecco. (Neu Cava, neu, os am wneud sbloets, potel o siampên!) Arllwyswch ddiferyn yn llai na hanner y botel (350ml) yn ofalus i'r surop. Trowch yn araf am eiliad neu ddwy gan geisio cadw'r swigod yn y jeli ac yna arllwyswch i'r gwydrau. Cyn gweini, oerwch yn yr oergell am o leiaf 4 awr neu dros nos. Addurnwch y jeli gyda mefus a hufen, neu flodau bwytadwy.

Prosecco jellies (alcoholic)

150ml water
75g caster sugar
3 sheets of leaf gelatine
350ml Prosecco or white wine

For decoration:
strawberries
cream
edible flowers

Place the water and the sugar in a large pan and heat to dissolve the sugar completely. Remove from the heat and set aside.

To make the jelly:
Soften the gelatine sheets in a bowl of cold water, for about 3 minutes. Remove them from the bowl and squeeze to remove any excess water before stirring them into the syrup until completely dissolved.

Prepare your prettiest stemmed glasses and open a bottle of Prosecco. (Or Cava or champagne if you're feeling particularly extravagant!) Pour just less than half the bottle (350ml) very carefully into the syrup. Stir briefly, trying to keep the bubbles in the jelly, then pour into the glasses. Chill in the fridge for at least 4 hours or preferably overnight. Before serving, decorate with strawberries and cream or edible flowers.

tip Rhowch fefus neu hoff ffrwythau Mam yn y gwydrau cyn arllwys y jeli drostynt.

tip Add strawberries or Mum's favourite fruit to the glasses before adding the jelly.

Jeli blodau'r ysgaw a ffrwythau haf

Mae'n syniad da gwneud rhywbeth sydd heb alcohol ynddo i'r rhai sy'n gyrru ar ddiwrnod y parti, ac i'r plant. Mae'r rysáit hon yr un mor flasus a gallwch chi ddefnyddio ffrwythau haf i'w gwneud yn ffres a thymhorol. Os yw'r jeli ar gyfer parti pen-blwydd ar adeg arall yn ystod y flwyddyn, fe fydd angen amrywio'r ffrwythau i siwtio'r tymor. Defnyddiwch fwyar duon, rhiwbob, eirin, eirin gwlanog, nectarinau, gellyg, cwrens duon a chochion, orennau bach adeg y Nadolig, neu rywbeth mwy egsotig fel orennau cymcwat.

> 3 dalen o bapur gelatin
> 50g siwgwr mân
> 150ml diod ysgaw
> 350ml dŵr
> 3 sbrigyn o flodau'r ysgaw wedi'u rinsio a'u sychu (dewisol)
> 1 basgedaid fach o fafon

Meddalwch y gelatin mewn powlen o ddŵr oer a gwasgwch y dŵr ohono. Rhowch y siwgwr, hanner y ddiod ysgaw a hanner y dŵr mewn sosban dros wres cymedrol. Mymryn cyn iddo ferwi, tynnwch y sosban oddi ar y gwres ac ychwanegwch y papurau gelatin a'u troi yn dda nes iddynt ymdoddi'n llwyr. Am flas cryfach, rhowch y sbrigau o flodau'r ysgaw dros eu pen yn y gymysgedd, ychwanegwch weddill y dŵr a'r ddiod ysgaw a throwch yn dda a gadael i'r blasau ymgymysgu. Gadewch iddo oeri am tua 10 munud.

Tynnwch y sbrigau o flodau'r ysgaw o'r sosban, hidlwch y gymysgedd a'i harllwys i fowld jeli neu bowlenni neu wydrau pwdin. Taenwch ychydig o flodau bach yr ysgaw ar ben y jeli a rhowch yn yr oergell iddo galedu am 3-4 awr.

Dewis arall: I'w wneud yn bwdin pert i'r haf, ychwanegwch felon, mefus a mafon i'r gwydrau. Taflwch flodau bach yr ysgaw neu dafod y fuwch drostynt cyn gweini.

Elderflower and summer fruit jellies

It's a good idea to make something non-alcoholic for the children or the drivers in the family. This is equally as delicious and you can use any summer fruits to make it totally fresh and seasonal. If you're making these jellies for a birthday at another time of year, you'll need to vary the fruit to suit the season. Try using blackberries, rhubarb, plums, peaches and nectarines, pears, redcurrants and blackcurrants, clementines at Christmas or the more exotic kumquats.

> 3 sheets of leaf gelatine
> 50g caster sugar
> 150ml elderflower cordial
> 350ml water
> 3 heads of elderflower, rinsed and dried (optional)
> 1 punnet of raspberries

Soak the gelatine sheets in cold water to soften, then drain and squeeze out the water. Put half the cordial, half the water and all the caster sugar into a saucepan over a medium heat. Just before it comes to the boil, remove from the heat and add the pre-soaked gelatine leaves, and stir well until they dissolve. To add a little more flavour, place the elderflower heads in the elderflower cordial mix, and submerge the flowers. Add the remaining water and cordial, stir well, and allow the flavours to infuse. Allow to cool for about 10 minutes.

Remove the flowers, strain the mixture and pour into a jelly mould or some dessert dishes or glasses. Finally, pick a few tiny elderflowers and sprinkle into or on top of the jelly. Place in the fridge and leave to fully set for 3 to 4 hours.

Optional: add melon, strawberries and raspberries into the jelly glasses for a pretty summer dessert. Sprinkle with elderflowers or blue borage flowers before serving.

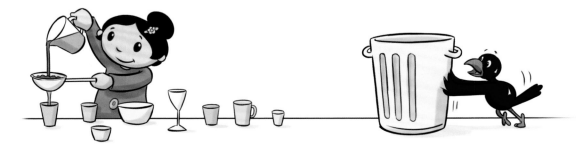

Teisen frechdan

Sbwnj Fictoria wedi'i wneud i edrych fel brechdan? Syml. Gwnewch ddwy neu dair haenen wastad o deisen sbwnj mewn tuniau (gweler y rysáit uchod). Torrwch nhw yr un siâp â thafelli bara, a'u rhoi at ei gilydd fel brechdan gan ddefnyddio eisin menyn melyn, coch a gwyrdd, i edrych fel menyn, tomatos a letys. Syniad syml ond eithaf effeithiol!

 Gwnewch iddi edrych yn debycach i frechdan glwb trwy ei thorri'n drionglau a'u gosod gyda'i gilydd fel rownd o frechdanau cyn rhoi sgiwer o ffon fambŵ trwyddynt.

Sandwich cake

This is a simple Victoria sponge cake made to look like a sandwich. Make two or three flattish layers of sponge cake in tins (see recipe above). Cut to the shape of a slice of bread, and sandwich them together with yellow, bright red and green butter icing, to look like butter, tomatoes and lettuce. A simple idea but it's quite effective!

 Make it look more like a club sandwich by cutting triangles of cake and placing them together to look like a round of sandwiches. Skewer them with a bamboo stick!

Teisennau cnau coco mewn côn

1 pecyn conau cwpan
150g blawd codi
150g menyn
150g siwgwr mân
75g almonau wedi'u malu
75g blawd cnau coco
2 wy mawr
150g mafon

Ar gyfer yr eisin:
400g siwgwr eisin
125g margarîn meddal
1-2 lond llwy de o ddŵr

I addurno:
eisin menyn a llawer o felysion mân

Twymwch y ffwrn i 170°C / 150°C (ffan) / 335°F / nwy 3.

Os ydych chi'n defnyddio cymysgydd trydan, rhowch y cynhwysion, ar wahân i'r mafon, i gyd yn y bowlen a'u cymysgu'n dda. Fel arall, cymysgwch y menyn a'r siwgwr gyda'i gilydd ac ychwanegwch y cynhwysion eraill ar wahân i'r mafon, a'u cymysgu'n dda.

Trowch lond dwrn o fafon yn y gymysgedd nes bod rhesi pinc yn chwyrlïo trwyddi.

Rhowch y conau i sefyll mewn tun myffins tra byddwch yn eu ½ llenwi gyda'r gymysgedd. Peidiwch â'u gorlenwi.

Pobwch yn y ffwrn am 35 – 40 munud nes eu bod wedi'u coginio.

I wneud yr eisin menyn, cymysgwch y cynhwysion yn dda mewn powlen fawr. I gael eisin ysgafn a fflwffog, defnyddiwch gymysgydd trydan sy'n ychwanegu mwy o aer i'r eisin.

Gan ddefnyddio bag eisin â phig, peipiwch yr eisin ar y teisennau gan ddefnyddio symudiad crwn i greu effaith côn hufen iâ chwyrlïog, neu defnyddiwch lwy i greu hufen iâ mwy traddodiadol yr olwg. Ychwanegwch felysion bach neu fflêc siocled i greu côn 99.

 Cadwch hufen iâ go iawn wrth gefn i sicrhau fod pawb yn hapus!

Coconut cupcake cornets

1 pack of cup cones
150g self-raising flour
150g butter
150g caster sugar
75g ground almonds
75g desiccated coconut
2 large eggs
150g raspberries

For the icing:
400g icing sugar
125g soft margarine
1-2 teaspoons of water

To decorate:
butter icing and lots of sprinkles.

Pre-heat the oven to 170°C / 150°C (fan) / 335°F / gas mark 3.

If using a mixer, place all the ingredients, except the raspberries, into the bowl and beat until well mixed. If mixing by hand, cream the butter and the sugar together, then add the remaining ingredients, except the raspberries, and mix well.

Add a handful of raspberries and stir into the mixture until it's rippled pink.

Support the flat bottomed cones in a muffin tray, and ½ fill with the cake mixture. Don't over fill.

Bake in the oven for about 35-40 minutes, until cooked through.

To make the butter icing, combine all the ingredients in a large bowl and mix well. A mixer makes a lighter and fluffier icing as it whips in more air.

Using a piping bag and nozzle, pipe the icing onto the cupcake in a circular motion to make it look like a swirly ice cream cornet, or spoon it on for a more traditional looking ice cream. Add sprinkles or a flake to make a 99 cone.

 Keep some real ice cream on standby to keep everybody happy!

Gwnewch faneri

Os ydych, fel Sali Mali, yn dewis cael parti yn yr ardd, gwnewch faneri i addurno'ch ystafell barti awyr agored. Dewiswch o liwiau llachar, arlliwiau pastel, patrymau blodeuog trawiadol neu liwiau natur ar gyfer parti gwersylla i blentyn. Beth bynnag fo'r digwyddiad, mae baneri'n gallu ei wneud yn ddathliad go iawn!

Cynhwysion
digonedd o ddefnydd lliwgar neu batrymog
(defnyddiwch ddigon o liw oren llachar ar
gyfer parti Sali Mali)
rhuban i gyd-fynd â'r defnydd

 I arbed arian, defnyddiwch hen gynfasau gwely, llenni neu flancedi. Os dewiswch ddefnydd plaen, mae'n bosib ei liwio i siwtio'r thema.

Torrwch siâp cardfwrdd fel templed.

Dewiswch driongl, cwt gwennol, pen gwaywffon neu siâp crwn. Nawr rhowch y templed ar y defnydd, marciwch a thorrwch sawl darn gan ddefnyddio siswrn miniog neu siswrn pincio (os defnyddiwch siswrn pincio fydd dim angen gwneud gwaith hemio!)

Dull cyflym:
Gludwch y baneri ar y rhuban gan adael bwlch bach rhwng pob darn o ddefnydd.

Dull mwy taclus a pharhaol:
Gwnïwch y siapau i gefn y rhuban. Cofiwch adael o leiaf 50cm o ruban ar bob pen er mwyn ei glymu yn ei le.

Clymwch y baneri yn yr ardd, rhwng coed, ar hyd ffens neu rhwng dau bolyn bambŵ i chi gael ei osod yn yr union fan y dymunwch.

Gwnewch faneri bach papur
Efallai y bydd plant yn mwynhau gwneud baneri bach ar gyfer addurno ystafell wely. Torrwch drionglau bach o bapur lapio pert. Plygwch ben uchaf bob darn a'i lynu wrth gortyn neu ruban tenau. Hongiwch nhw yn yr ystafell wely. Gallwch wneud baneri tebyg gyda darnau bach o sidan a rhuban tenau.

Make bunting

If, like Sali Mali, you opt for a garden party, make some bunting to decorate your outdoor party room. Choose between bright colours, pastel shades, floral patterns or bold patterns, or even camouflage colours for a child's camp-out party. Whatever your theme or event, bunting makes it a real celebration!

Ingredients
plenty of bright, bold, or patterned fabric
(for a Sali Mali theme, use a lot of bright
orange)
ribbon to match or contrast with your fabric

 To save money, why not use old sheets or pillow cases, old curtains or blankets. If you choose old plain fabric you could always dye it to suit the colour scheme.

Cut out a cardboard template.

Choose a triangle, swallowtail, spearhead, or round shape. Now place the template on the fabric, mark and cut out several pieces, using sharp scissors or pinking scissors (using pinking scissors means that you won't need to hem them!)

For speed:
Glue the bunting onto the ribbon leaving small but equal spaces between the shapes.

For a more permanent and neater finish:
Sew the triangles onto the back of the ribbon. Remember to leave at least 50cm of ribbon at each end for tying the bunting in place.

Now tie the bunting around the garden, between trees, along fencing or hang it between two bamboo canes placed exactly where you want it.

Make tiny paper bunting
Children might enjoy making a tiny version for the bedroom. Cut out tiny triangles from pretty wrapping paper. Fold over the tops and attach them to a strong cotton thread or some narrow ribbon. Hang them in the bedroom. This tiny bunting can also be made using small triangles of colourful silk attached to narrow ribbon.

Parti Noswylio

Cofiwch drannoeth y parti!

Mae hwyl i'w gael i bawb o bob oed pan ddaw teulu a ffrindiau ynghyd. Wrth dreulio noson adeg y Nadolig neu ar ôl parti neu achlysur arbennig, gwnewch ddiodydd cŵl i gadw plant ag oedolion yn ddiddan. Cofiwch gall bob moctel fod yn goctel gyda diferyn bach o rywbeth!

Diodydd parti i blant (ac oedolion hefyd!)

Smŵddi hir ac adfywiol, ysgytlaeth oer hufennog neu sudd pefriog – maen nhw i gyd yn ddiodydd parti perffaith. Yn llawn fitaminau, maen nhw'n hawdd eu gwneud yn gyflym ac yn torri syched i'r dim.

The Sleepover

Don't forget the morning after!

Getting Family and friends together is fun at all ages. When they spend the night at Christmas or after a party or special occasion, keep the children and adults happy with some cool drinks to start the evening. Don't forget that mocktails can be made into cocktails if you choose!

Cool party drinks for children (and adults too!)

Long refreshing smoothies, creamy cool milkshakes, fizzy fruit juices – they're all perfect party drinks. Full of vitamins, these drinks are quick and easy to make, and are just the thing to quench the thirst.

Ysgytlaeth latte i'r 'oedolion bach'

1 myg o laeth (300ml)
2 sgŵp o hufen iâ coffi
chwistrelliad o saws caramel

Cymysgwch y cynhwysion gyda'i gilydd nes eu bod yn dew a hufennog. Arllwyswch i 2 wydr latte.

Smŵddis

Un ffordd o gyrraedd eich cwota o 5 ffrwyth a llysieuyn y dydd yw yfed smŵddi trwchus llawn ffrwythau. Wrth eu gwneud nhw eich hun, gallwch chi ddewis eich hoff ffrwythau a hepgor y rhai nad ydych yn eu hoffi. Mae bananas yn dda i dewhau'r gymysgedd ond os nad ydych yn hoffi'r blas, peidiwch a'u defnyddio. Mae blas banana'n hawdd i'w adnabod yn enwedig os nad ydych yn ei hoffi. Arbrofwch gydag aeron gwahanol i gael gweld beth sy'n mynd yn dda gyda'i gilydd. Ychwanegwch suddion neu iogwrt os yw'n rhy drwchus. Os ydych yn defnyddio ffrwythau â hadau, yn enwedig mafon, cofiwch hidlo'r ddiod i osgoi'r hadau caled.

Gallwch ddefnyddio ffrwythau wedi'u rhewi neu rai mewn tuniau, sydd yr un mor iach ac yn llai costus, fel arfer. Ychwanegwch unrhyw sudd o'r ffrwythau tun, at y ddiod ond mae'n well draenio tuniau sy'n cynnwys surop cyn defnyddio'r ffrwythau.

Y ffordd arferol o wneud smŵddi yw cymysgu popeth mewn prosesydd trydan a'i fwynhau.

Smŵddi Sali Mali

Diod adfywiol i frecwast – yn fwy arbennig na gwydriad o sudd – mae'n oren, hoff liw Sali Mali, mae'n llawn daioni fitamin C ac mae'n llenwi'r bola!

1 gwydriad mawr o sudd oren
1 carton bach o iogwrt oren neu fandarin
ciwbiau iâ neu iâ mân

Latte milkshake for the 'little grown ups'

1 mug of milk (300ml)
2 scoops of coffee ice cream
a squirt of caramel sauce

Blend all the ingredients together until thick and creamy. Divide between 2 latte glasses.

Smoothies

Thick fruity smoothies are an easy way to reach your 5 a day healthy quota of fruit and vegetables. If you make them at home you can mix your favourite fruits and leave out the ones you're not too keen on. Bananas are always a good addition as they thicken the mixture, but if you're not a fan, leave them out. Just a small amount of banana is easily recognisable if you dislike the flavour. Try different berries to see what works well together, and add fruit juice or yoghurt to add moisture if it becomes too thick. For seeded berries, especially raspberries, you might need to sieve the final drink to remove the hard seeds.

Frozen or tinned fruits can be used instead of fresh fruit; they're just as good for you and are often cheaper. If you use fruit canned in juice, include the juice in the smoothie, but if it's in syrup, it's best to drain it off.

The general rule of thumb for making a smoothie is, whizz everything in a blender and enjoy.

Sali Mali smoothie

Makes a refreshing breakfast drink. It's more special than just a glass of juice, for a start it's Sali Mali's favourite colour, it contains Vitamin C goodness, and fills you up!

1 large glass of orange juice
1 small carton of orange or mandarin yoghurt
ice cubes or crushed ice

Coctel meddal

Crëwch awyrgylch soffistigedig trwy weini diodydd mewn gwydrau anarferol gyda ffrwythau wedi'u sleisio ac ambareli haul. Bydd yr oedolion yn dwlu arnyn nhw hefyd, yn enwedig y gyrwyr, er, bydd ambell oedolyn yn siŵr o awgrymu ffyrdd i'w gwneud hyd yn oed yn fwy addas i oedolion!

Mocktails

Add an air of sophistication by serving drinks in outlandish glasses with sliced fruit and mini-parasols. Adults will love this too – especially the drivers, though some adults will probably come up with a few suggestions on how to make drinks a little more grown up!

Awel coed Brechfa

Diod adfywiol iawn. Rhowch gynnig arni, yn enwedig ar ddiwrnod poeth. Mae'n ddiod oer, befriol gyda thân sinsir yn ei bol sy'n berffaith ar gyfer nosweithiau twym. Cofiwch ei gweini gyda digonedd o iâ.

> 1 mesur o sudd oren
> 1 mesur o sudd pîn-afal
> 2 fesur o gwrw sinsir sbeislyd
> llawer o iâ mân

Brechfa forest breeze

This is a very refreshing drink. It's really worth a try, especially on a hot day. A cool, sparkling and refreshing drink with a fiery ginger flavour. Serve with lots of ice, perfect for hot summer evenings.

> 1 part orange juice
> 1 part pineapple juice
> 2 parts spicy ginger beer
> lots of crushed ice

Amser noswylio...

Mae parti noswyl yn gallu golygu sawl peth gwahanol. I'r plant: oriau o hwyl yn chwarae gyda ffrindiau cyn i Mam a Dad fynnu bod y sachau cysgu'n dod ma's a bod ymdrech, o leiaf, i wneud rhywfaint o gysgu go iawn. I Mam a Dad: treulio'r noson yn teithio'n ôl a 'mlaen ar draws y landin yn ceisio darbwyllo'r 'tweenies' (dim eto yn eu harddegau) y dylent gysgu, a pherswadio ambell un nad oes angen iddynt fynd adref i weld Mam y funud hon, tra'n hiraethu am y bore.

And so to bed...

A sleepover means different things to different people. For the children in the house it usually means hours of fun playing with friends before Mum and Dad insist that the sleeping bags are put out and there's some attempt at actual sleeping. For Mum and Dad, the night is spent traipsing to and fro across the landing attempting to coax the tweenies (not quite teenagers) to get some sleep, persuading one or two that they really don't need to go home to see Mum, whilst longing for the morning to come sooner.

Daw brecwast â phawb at ei gilydd unwaith eto – yn llygadgrychu a gwgu dan flinder – efallai bydd angen rhywbeth arnoch i roi cic i chi ar ddechrau'r dydd.

Breakfast brings everyone together again – bleary eyed and probably tired from a late night, you might need something to kick start your day.

Mae coffi'n ddechrau da

Does dim i'w gymharu ag arogl coffi. Yn sicr mae'n ddechrau da i'r diwrnod ar ôl y noson gynt! Gwnewch ddigon o goffi ffres mewn jwg hidlo neu cafetière.

Nawr rydych chi'n barod i fwydo'r heidiau sach-gysglyd.

Start with coffee

Nothing beats the enticing aroma of coffee. It's certainly a good start to the day after the night before. Make plenty of freshly ground coffee in either a filter jug or a cafetière.

Now you're ready to feed the be-sleeping-bagged hordes.

Salad brecwast tomato a melon dŵr

4 cwpanaid o felon dŵr, darnau mawr
4 cwpanaid o domatos aeddfed wedi'u torri'n fân
1 cwpanaid o mozzarella, wedi'i rwygo'n ddarnau
llond llaw o ddail roced
½ winwnsyn bach coch wedi'i sleisio'n denau iawn
ychydig o shibwns wedi'u sleisio'n denau
llond llaw o hadau pwmpen
olew olewydd pur
diferyn o finegr balsamaidd
halen a phupur

dewisol:
olifau, mintys, darnau o felonau amrywiol
2 dafell o gig moch brith wedi'i ffrio'n grimp

Rhowch y melon dŵr, y tomatos, y roced a'r winwns ar blât mawr. Ychwanegwch y mozzarella a'r cig moch crimp (dewisol) a thaflwch hadau pwmpen ar ben popeth. (Fe allech chi hefyd ddefnyddio ham Caerfyrddin, Parma neu serrano.) Gwnewch finegrét olew a finegr balsamaidd a diferwch dros y plât gorffenedig.

Tomato and watermelon breakfast salad

4 cups of watermelon, large chunks
4 cups of ripe tomato, chopped
1 cup of mozzarella, torn up
a handful of rocket leaves
½ small red onion, sliced very thinly
a few spring onions thinly sliced
a handful of pumpkin seeds
extra-virgin olive oil
a drop of balsamic vinegar
salt and pepper

optional:
olives, mint, a variety of different melon pieces
2 slices of streaky bacon fried until crisp

Place the watermelon, tomatoes, rocket and sliced onion on a large plate. Add the mozzarella and crisp bacon (optional) before scattering the pumpkin seeds on top. (You could also use Carmarthen, Parma or serrano ham.) Make an oil and balsamic vinaigrette and drizzle over the finished plate.

Treiffl i frecwast?

Gellir gwneud y compot sydd yn y treiffl syml hwn gydag amrywiaeth o wahanol ffrwythau'r tymor. Ar ddiwedd yr haf a dechrau'r hydref, mae ychydig o eirin duon bach yn gallu gwneud byd o wahaniaeth i'r blas, ond efallai y bydd angen i chi ychwanegu siwgwr neu fêl!

> eirin
> llus
> nectarinau
> mafon
> ceirios
> mwyar duon / eirin pêr
> sudd 1 oren neu lemwn
> siwgwr i roi blas
> 20g menyn
> iogwrt plaen / Groegaidd
> granola

Toddwch y menyn mewn ffrimpan fawr, ychwanegwch yr eirin a'r llus, y nectarinau ac unrhyw ffrwythau meddal tymhorol sydd gennych. Awgrym: tynnwch groen eirin gwlanog! Ychwanegwch y sudd oren/lemwn a 4 llond llwy ford o ddŵr. Coginiwch nes bod y ffrwythau'n meddalu heb fod yn slwtsh. Ychwanegwch siwgr i felysu, ond dim gormod - dylai'r compot fod ychydig yn siarp. Trowch y mafon i mewn yn ofalus. Ar ôl munud, tynnwch o'r gwres a'i adael i oeri. Rhowch yn yr oergell hyd nes y bydd ei angen ar gyfer y treiffl.

I wneud y treiffl:
Rhowch haenau o'r compot ffrwythau, yr iogwrt a'r granola mewn gwydrau hirion.

....

Gall amser brecwast fod yn straen.
Nawr bod y plant wedi tyfu lan, dyw brecwast ddim yn digwydd am 8 o'r gloch bob bore o amgylch bord y gegin. Mae'n broses sy'n digwydd ar hap a damwain. Gall prinder amser neu ddiffyg chwant bwyd ei wneud yn arbennig o heriol i fwydo pobl ifanc yn eu harddegau. Er gwaethaf gofyn, pledio neu bregethu am rinweddau iachus cael brecwast da, weithiau does neb yn gwrando. Rydw i wedi treial popeth - grawnfwyd, tost, cig moch, selsig, wyau wedi'u berwi, uwd, grawnffrwyth, bîns ar dost, wafflau – heb unrhyw ymateb. Maen nhw'n gwrthod bwyta a dyna fe. Ond mae mwy nag un ffordd o gael Wil i'w wely!

Summer breakfast trifle

The compote in this simple trifle can be made with a variety of different fruit, depending on what's in season. In the late summer and autumn, a few sloes make a huge difference to the flavour, though you may need to add extra sugar or honey.

> plums
> blueberries
> nectarines
> raspberries
> cherries
> blackberries / damsons
> juice of 1 orange or lemon
> sugar to taste
> 20g butter
> plain/Greek yoghurt
> granola

Melt the butter in a large frying pan; add the plums and blueberries, nectarines and any other seasonal soft fruit you have. I suggest you peel any peaches. Add the juice of 1 orange or a lemon, and 4 tablespoons of water. Cook until slightly softened but not mushy. Add sufficient sugar to sweeten, but the compote should remain slightly sharp. Gently stir in the raspberries and cook for 1 more minute. Remove from the heat and allow to cool to room temperature. Store in the fridge until needed for the trifle.

To make the breakfast trifle:
Simply layer the compote, with yoghurt and granola in a tall glass for a touch of luxury.

....

Breakfast time can be a little stressful.
Now that the children have grown up, breakfast is no longer a regular 8am rendezvous around the kitchen table, but more of a haphazard state of affairs. Lack of time or appetite makes feeding teenagers especially challenging. Despite asking, begging and preaching about the physical merits of a good breakfast, they're just not interested. Cereal, toast, bacon, sausages, boiled eggs, porridge, grapefruit, beans on toast, waffles, I've tried the lot, you name it – they don't want it. They're just not hungry. You can lead a horse to water but you can't make it eat a balanced and nutritious breakfast!

tip

Mae'r compot hwn yn gwneud byrbryd blasus gyda thalp o iogwrt a diferyn o fêl. Mae e hefyd yn wych gyda hufen iâ, ac ar ben uwd hefyd. Mae'n cadw am hyd at 4 diwrnod yn yr oergell neu gallwch chi ei rewi.

tip

This compote makes a delicious snack on its own when served with a dollop of yoghurt and a drizzle of honey. It's also great with ice cream, and on porridge too. Keep it for up to 4 days in the fridge or freeze it.

Barrau ffrwythau cnau a hadau
Os nad yw pawb yn bwyta brecwast, gwnewch farrau ceirch llawn ffrwythau, hadau, a chnau a'u rhoi'n llechwraidd mewn bagiau neu bocedi cotiau i gadw pawb i fynd tan ginio.

Bar coco a phecan

1 cwpanaid o ddatys heb eu cerrig
¼ cwpanaid o fêl (surop masarn neu agafe)
¼ cwpanaid o fenyn pysgnau / almon
(neu fenyn unrhyw gneuen)
1 cwpanaid o gnau pecan wedi'u torri'n fân
1 llond llwy ford o bowdwr coco
½ cwpanaid o flawd cnau coco neu geirch wedi'u rholio

Bar bricyll a blodau haul

1 cwpanaid o fricyll
¼ cwpanaid o fêl (surop masarn neu agafe)
¼ cwpanaid o fenyn pysgnau / almon
(neu fenyn unrhyw gneuen)
1 cwpanaid o hadau blodyn yr haul
½ cwpanaid o fiwsli neu geirch wedi'u rholio

Dewisol:
sglodion siocled, ffrwythau sych, (bricyll, llugaeron, pîn-afal, mango, sglodion banana) cnau, hadau cymysg, (pwmpen, llin, pabi, sesami, blodyn yr haul)

Malwch y datys/bricyll (gan ddibynnu ar ba rysáit rydych chi am ei dilyn) mewn prosesydd bwyd. Ychwanegwch y cynhwysion eraill a phroseswch eto nes ei fod yn ffurfio pelen ludiog.

Rhowch y gymysgedd ar ddarn mawr o haenen lynu a'i gwasgu i mewn i gynhwysydd plastig sgwâr neu dun gan ddefnyddio gwaelod y cynhwysydd i ffurfio siâp sgwâr. Oerwch yn yr oergell cyn torri barrau unigol.

Fruity nut and seed breakfast bars
When nothing seems to tempt them at breakfast, try making these lovely fruit and nut bars, and pop a few in their bags for a quick snack to keep them going until lunchtime.

Cocoa and pecan bars

1 cup of dates, pitted
¼ cup of honey (maple syrup or agave)
¼ cup of salted peanut butter or almond butter
(or any nut butter)
1 cup of pecan nuts, chopped
1 tablespoon of cocoa powder
½ cup of desiccated coconut or rolled oats

Apricot and sunflower bars

1 cup of apricots
¼ cup of honey (maple syrup or agave)
¼ cup of salted peanut butter or almond butter
(or any nut butter)
1 cup of sunflower seeds
½ cup of muesli or rolled oats

Optional:
chocolate chips, dried fruit, (apricot, cranberry, pineapple, mango, banana chips) nuts, mixed seeds (pumpkin, linseed, poppy, sesame, sunflower)

Blitz the dates or apricots (depending on which recipe you wish to follow) in a food processor. Add the remaining ingredients and whizz until it comes together as a sticky ball.

Place the mixture on a large sheet of cling film and place into a square plastic container or tin. Press down to firm the mixture, using the bottom of the container to form a square shape. Chill in the fridge before cutting into individual bars.

tip

Os ydych chi'n defnyddio ceirch wedi'u rholio, rhostiwch nhw mewn ffwrn 180°C / 160°C (ffan) / 350°F / nwy 4, am tua 15 munud neu hyd nes eu bod yn euraid, neu gallwch eu gadael heb eu coginio.

tip

If you choose to use rolled oats, toast them in the oven at 180°C / 160°C (fan) / 350°F / gas mark 4 for about 15 minutes or until slightly golden, or you can leave them uncooked.

Beth yw eich hoff fwyd brecwast?

Fi? Wel ...fydda i byth yn dewis grawnfwyd fel arfer ond bob tro rwy'n ei fwyta, rwy'n ei fwynhau! Fodd bynnag, fy mhleser boreol yw tafell o fara cartref hyfryd a paté gyda thomatos. Ar y penwythnos, fel trît, rwy'n ychwanegu sleisen neu ddwy o ham Parma, neu Gaerfyrddin. Bendigedig.

Yn fwy diweddar, rydw i wedi bod yn mwynhau wyau wedi'u potsio'n feddal ac afocado gyda chilli ffres ... iym!

O ran brecwastau cyfandirol, rwy'n dwlu ar dost Sbaenaidd (tostada) gyda thomatos plwm, melys o Sbaen, wedi'u twymo gyda dracht o'u holew olewydd gorau. Er ei fod yn swnio'n afrad a moethus iawn, mae'n ffordd wych o ddefnyddio bagét ddoe neu fara cartref sy'n aml yn mynd yn hen yn rhy gyflym.

Syniadau brecwast eraill sy'n boblogaidd yn ein tŷ ni:
Wyau maes wedi'u berwi a bysedd tost.
Wyau wedi'u potsio ar dost.
Tost a mêl diferol lleol.
Bara wy - nid i blant yn unig, iym!
Tostada - tomato a ham wedi'i halltu ar dost.
Llond ceg o gig moch – tartenni bacwn a wy.
Salad brecwast – melon dŵr, ham Caerfyrddin a chaws.
Bara Fienna cartref gyda chwstard a ffrwythau.

Mae'r rhestr yn ddiddiwedd ond dyma rai o'm ffefrynnau i!

What do you like for breakfast?

Me? Well... given a choice it's never cereal, but when I have some, I rather enjoy it! My favourite morning indulgence however, is a slice of lovely homemade bread and paté, with tomatoes. As a weekend treat, I'll add a slice or two of Parma, or Carmarthen ham, and I'm in heaven!

More recently, I've been enjoying runny poached egg and avocado with fresh chilli slices... yum!

When it comes to continental-style breakfasts, I love Spanish tostadas made with sweet warmed Spanish plum tomatoes with a glug of their best olive oil. Despite sounding very extravagant and luxurious, it's a great way to use day-old baguettes or homemade bread which is often past its best.

Other tried and tested breakfast ideas are:
Boiled free range eggs and soldiers.
Poached eggs on toast.
Toast and local runny honey.
Eggy bread – not just for kids, yum!
Tostadas – tomato and cured ham on toast.
Bacon Bites – bacon and egg tarts.
Breakfast salad – watermelon, Carmarthen ham and cheese.
Homemade Danish pastries with custard and fruit.

The list is endless but these are some of my favourites!

Dydd Sul Glawog

... ond mae'n braf yn y tŷ!

Fel arfer, mae pawb yn gobeithio cael tywydd sych a heulog. Ond nawr ac yn y man, mae angen glaw ar yr ardd. Mae ambell ddiwrnod glawog yn gallu rhoi cyfle i ni ddal lan gyda gwaith a gorchwylion dan do; mae'r plant yn ddigon hapus i biltran yn eu 'stafelloedd, yn ailddarganfod hen lyfrau neu deganau. Erbyn canol gaeaf, fel arfer, mae'r profiad o dywydd gwlyb beunyddiol a meddwl am ddiwrnod arall yn y tŷ yn gallu mynd yn fwrn, yn enwedig wrth geisio cadw pobl ifanc rhag diflasu. Mae'n fwy dymunol weithiau, naill ai i adael y tŷ yn gyfan gwbl neu wneud rhestr dda o weithgareddau a mynd ati i'w gwneud!

Mae gwneud cinio rhost araf, sy'n cymryd 3 awr yn y ffwrn, yn gadael digonedd o amser i drefnu gemau hwyliog ar gyfer dydd Sul glawog.

Rainy Sundays

...but never a wet weekend!

Although we hope for dry weather and sunshine, the odd rainy day can present a great opportunity to catch up with indoor tasks. Children often love to potter in their bedrooms, rediscovering old toys and books. By midwinter we've usually experienced a lot of wet weather and the thought of yet another soaking or another day indoors can wear us down, especially if we have youngsters to entertain. It's sometimes best to either leave the house altogether, or draw up a good list of activities and get on with it!

On rainy Sundays, a 3-hour slow roasted lunch gives you plenty of time to organise some fun and games.

Brisged sbeislyd wedi'i rhostio'n araf

1kg brisged cig eidion, wedi'i thorri'n ddarnau bach
2 lond llwy ford o olew
2 shibwns banana, wedi'u torri'n fân
4cm sinsir ffres wedi'i dorri'n fân
2-3 ewin garlleg, wedi'u malu
2 lond llwy de o bum-sbeis Tsieineaidd
4 seren anise gyfan
100g siwgwr brown – tywyll yw'r gorau
100ml saws soi
200ml passata tomato neu 2 lond llwy ford o biwrî tomato
1 llond llwy de o rawn pupur
½ litr stoc cig eidion

Gweinwch â thortilas, shibwns, ciwcymbr a iogwrt.

Ffrïwch y shibwns, y sinsir a'r garlleg mewn ychydig o olew nes eu bod yn dechrau brownio. Ychwanegwch y pum-sbeis, y sêr anise a'r grawn pupur a'u coginio am tua munud cyn ychwanegu'r saws soi, y siwgwr a'r passata. Ychwanegwch y frisged i'r sosban, yna ychwanegwch ddigon o stoc cig eidion i orchuddio'r cig. Rhowch dros wres cymedrol a'i fudferwi. Rhowch gaead ar y sosban a'i throsglwyddo i ffwrn isel 160°C / 140°C (ffan) / 320°F / nwy 3, am dair awr nes bod y cig yn dyner iawn. Bwriwch olwg dros y cig ar ôl dwy awr rhag ofn y bydd angen i chi ychwanegu rhagor o ddŵr i'w atal rhag sychu. Tynnwch y cig eidion yn ddarnau yn y saws a'i weini mewn tortilas gyda shibwns, ciwcymbr a thalp o iogwrt.

Spiced slow roast brisket

1kg beef brisket, chopped into small pieces
2 tablespoons of oil
2 banana shallots, finely chopped
4cm fresh ginger, finely chopped
2-3 garlic cloves, crushed
2 teaspoons of Chinese five-spice
4 whole stars anise
100g brown sugar – the darker the better
100ml soy sauce
200ml tomato passata or 2 tablespoons of tomato purée
a teaspoon full of peppercorns
½ litre beef stock

Serve with wraps, spring onions, cucumber and yoghurt.

Fry the shallots, ginger and garlic in a little oil until very slightly coloured. Add the five-spice, the star anise and peppercorns and cook for about 1 minute before adding the soy sauce, the sugar and the passata. Add the chopped beef brisket to the pan, then add enough beef stock to almost cover the meat. Place over a medium heat and bring to a simmer. Place a lid on the pan and transfer to a cool oven 160oC / 140oC (fan) / 320oF / gas mark 3 for 3 hours until the beef is very tender. Check the meat after two hours just in case you need to add a little more water to stop it drying out. Pull the beef apart in the sauce and serve in a wrap with a sprinkling of spring onions and cucumber – and maybe a dollop of yoghurt.

Brechdanau bwrdd drafftiau

Gwnewch frechdan gan ddefnyddio un sleisen o fara gwyn ac un sleisen frown. Torrwch hi'n naw darn o'r un faint (tair rhes o dri darn) i wneud siâp gêm OXO. Trowch bob yn ail ddarn drosodd i greu effaith bwrdd drafftiau. Rhowch 5 ciwb bach o gaws a 5 picl bach ar ddiwedd ffyn coctel a'u defnyddio i chwarae gêm OXO cyn bwyta popeth!

Chequerboard sandwiches

Make a sandwich using one white and one brown slice of bread. Now cut the sandwich into 9 pieces (two equally spaced vertical and horizontal cuts) making a noughts and crosses shaped grid. Turn alternate pieces over to create a chequerboard effect. Skewer 5 small cheese cubes and 5 mini pickled onions with cocktail sticks and have a game of noughts and crosses, before finally tucking in!

Gwneud toes

Gwnewch does bara (gweler tud. 84) a'i ddefnyddio i wneud roliau bara / pitsa / wynebau pitsa / pitsas bach ar gyfer picnic / focaccia / plethau / peli toes ac unrhyw beth arall sydd angen toes.

Making dough

Make bread dough (see page 84) and use it to make bread rolls / pizza / pizza faces / picnic pizzettas / focaccia / plaits / dough balls and anything else that needs dough.

Gwneud toes chwarae

Diogel (ond peidiwch a'i fwyta), rhad a rhwydd.

Bydd plant yn dwlu ar wneud y toes yma. Fe gânt sbort wrth ddefnyddio lliwiau bwyd i greu'r toes llachar ac ychwanegu glitar disglair.

> 1 cwpanaid o flawd plaen
> ½ cwpanaid o halen
> 1 llond llwy de o bowdr hufen tartar
> 1 cwpanaid o ddŵr
> diferyn o liw bwyd
> 2 lond llwy ford o olew

Cymysgwch y blawd, yr halen, y powdr hufen tartar a'r dŵr gyda'i gilydd i wneud cymysgedd lyfn. Ychwanegwch ddiferyn o liw bwyd a dwy lond llwy ford o olew. Twymwch dros wres cymedrol gan droi'n barhaus nes bod y toes yn ffurfio pelen.

 Cymysgwch y toes yn y sosban nes ei fod yn stopio sticio. Cadwch y tymheredd yn isel a defnyddiwch sosban anlynol.

 Cymysgwch flawd a dŵr i wneud pâst slwtshlyd sy'n dda iawn i blant ei ddefnyddio i ludo glitar ar bapur neu gerdyn. Mae'n bosib ei sychu a'i olchi oddi ar ddillad!

Making play dough

Not for eating, non-toxic, cheap and easy.

Children will adore making play dough and they will have fun exploring different food colourings to give the dough that lovely vibrant colour. Add sparkly glitter for fun.

> 1 cup of plain flour
> ½ cup of salt
> 1 teaspoon of cream of tartar
> 1 cup of water
> 1 splash of food colouring
> 2 tablespoons of oil

Mix together the flour, salt cream of tartar and water until smooth. Add a dash of food colouring followed by 2 tablespoons of oil and cook on a medium heat, stirring constantly until the dough forms a ball.

 Keep mixing the dough in the pan until it loses its stickiness. Keep the heat low and use a non-stick pan.

 Mix flour and water to make a runny paste, this is great for little ones to use as glue. It wipes and washes off and can easily be painted on paper and card for sticking glitter.

Gemwaith pasta

Mor syml – ond gweithgaredd grêt i blant bach. Prynwch basta bob siâp a lliw a gadewch i'r plant eu gosod ar ruban. Os nad oes pasta lliw ar gael, paentiwch y pasta plaen gyda chaniau o baent chwistrellu llachar a glitar cyn eu rhoi ar y rhuban. Gadewch iddynt sychu cyn eu defnyddio, a chofiwch – peidiwch â'u bwyta!

Gall blant hŷn wneud collage neu batrymau gan ludo'r pasta ar ddarnau o gerdyn.

Gêm: Basged siopa

Llenwch gwdyn neu fasged siopa gyda bwyd o'ch cypyrddau, yr oergell a'r bowlen ffrwythau. Gwnewch yn siŵr bod gennych ddigon o amrywiaeth o fwydydd. Heriwch y plant i'w trefnu yn ôl pa mor iach / afiach ydyn nhw o ystyried faint o siwgwr neu fraster maen nhw'n eu cynnwys.

 Defnyddiwch sustem oleuadau traffig:

Coch = bwyd drwg – i'w fwyta'n achlysurol yn unig.

Oren = iawn – bwydydd i'w bwyta'n gymedrol – ond dim gormod ohonyn nhw.

Gwyrdd = da – bwytwch lond eich bol.

Mae'n ffordd dda iawn, hefyd, o ail-drefnu cynnwys eich cypyrddau/oergell a gwirio dyddiadau terfyn defnyddio bwyd.

Cwtsh tu ôl i'r soffa

Chwiliwch am hen flancedi neu ewch i nôl duvets y plant. Gwthiwch y soffa oddi wrth y wal er mwyn i'r plant wneud cwtsh neu ffau. Peidiwch a becso am yr annibendod, mater o funudau'n clirio fydd hi wedyn, a chofiwch, cewch chi oriau o lonydd tra bod y plant yn chwarae, darllen neu orffwys yn y cwtsh.

Gwnewch deisennau hadau i'r adar

Cymysgwch saim a hadau adar. Does dim angen toddi'r saim yn gyntaf – dim ond ei gadw ar dymheredd yr ystafell a'i gymysgu gyda'r hadau! Cymysgwch yn dda a bwydwch yr adar. Llenwch botiau iogwrt neu hen gwpanau a'u hongian yn yr ardd.

Garddio dan do

Mae garddio tu fewn, yn y tŷ neu'r sied yn weithgaredd grêt i blant. Gwnewch ardd boced mewn bocs hadau. Plannwch hadau ffa dringo mewn cwpanau plastig clir, rhowch ddigon o ddŵr iddyn nhw a'u gwylio'n egino a thyfu trwy wyliau'r haf. Gwnewch draeth mewn bocs cardfwrdd gan ddefnyddio tywod neu paentiwch gerrig, tyfwch ferwr, gwnewch ardd gactws, addurnwch bot planhigyn....

Make pasta jewellery

This is so simple, but it's a great activity for little ones. Buy shaped and coloured pasta and allow them to thread the pasta shapes onto a length of ribbon. If you only have plain colours, spray them with glittery or sparkly spray paints first. Allow them to dry before using them and remember – don't eat them!

Older children can stick pasta to card to make patterns or collages.

Game: Shopping basket

Fill a shopping bag or basket with foods from your kitchen cupboards, fridge and fruit bowl. Make sure you have a good variety of different foods. Encourage the children to sort them into the good, the bad, and the ugly, based on whether they are good or bad, high or low in fat/sugar.

 Use the traffic light system:

Red = naughty food, for treats only.

Amber/Orange = OK, to be eaten in moderation and in small quantities.

Green = eat as much as you want.

This is also a good way of sorting out kitchen ingredients, reorganising the fridge and checking use-by dates!

Den behind the sofa

Get out the old blankets or bring down the children's duvets. Push the sofa back towards the wall and allow them to make a den. Don't worry about the mess, it'll only take minutes to tidy up at the end of the day and you'll be rewarded with hours of peace to get on with things!

Make bird seed cakes

Mix good old fashioned lard and bird seed. You don't need to melt the lard, just allow it to get to room temperature and mix in the bird seed! Mix together well, and feed to the birds. Set them in yoghurt pots, or old tea cups, and hang them in the garden.

Indoor gardening

Indoor gardening is a great activity for children. Create a miniature garden in a seed tray, plant runner bean seeds in a see-through plastic drinking cup, water it well and watch it germinate and grow during the rest of the summer holiday. Create a beach in a cardboard box – using a bag of shop bought sand or paint pebbles, grow cress, make a cactus garden, decorate a plant pot...

Peidiwch anghofio pwdin ar gyfer diwrnod glawog – rhywbeth cynnes a chysurlon.

Don't forget to make a rainy day dessert – something warming and comforting.

Teisen afal a mwyar duon wyneb i waered

Dyma deisen ddiwedd haf sy'n defnyddio ychydig o aeron. Fydd dim angen i chi bigo ffrwythau am oriau maith am mai dim ond llond llaw o fwyar sydd eisiau arnoch i'w gwneud. Ychwanegwch afalau i wneud teisen hyfryd y gallwch weini gyda chwstard fel pwdin sbwnj traddodiadol.

> 2 wy mawr
> 150g siwgwr mân
> 150g menyn / margarîn
> 180g blawd codi
> ½ llond llwy de o bâst neu rinflas fanila

> **Ar gyfer y llenwad:**
> 2 afal wedi'u sleisio
> 1 llond llaw o fwyar duon
> 3 llond llwy ford o siwgwr brown
> 1 llond llwy ford o fenyn

Twymwch y ffwrn i 180°C / 160°C (ffan) / 350°F / nwy 4.

Cymysgwch y siwgr gyda'r menyn nes ei fod yn feddal. Ychwanegwch y fanila. Curwch un wy ar y tro i mewn i'r gymysgedd (os yw'n dechrau ceulo, ychwanegwch lwyaid o'r blawd). Hidlwch y blawd a'i droi'n ofalus i mewn i'r gymysgedd cyn ei rhoi o'r neilltu. Twymwch y siwgwr brown mewn ffrimpan gyda llond llwy ford o fenyn ar dymheredd cymedrol nes ei fod yn toddi a dechrau ffrwtian. Ychwanegwch yr afalau a'i fudferwi am tua munud i'r afalau gael meddalu ychydig. Leiniwch dun crasu bâs gyda phapur gwrthsaim ac arllwyswch y caramel afalau iddo'n ofalus cyn ychwanegu'r mwyar duon. Gwnewch batrwm pert, ond byddwch yn ofalus, bydd yr afalau'n boeth iawn. Peidiwch â defnyddio'ch bysedd! Llwywych y gymysgedd teisen ar ben y ffrwythau a rhowch yn y ffwrn am 20 munud nes ei bod yn euraid.

Trowch y deisen ma's ar blât. (rhybudd: mae'n boeth IAWN!).

Gweinwch gyda hufen neu crème fraîche.

Apple and blackberry upside down cake

This cake is a great way to use just a few berries for a real late summer treat. You don't have to go fruit picking for hours, as you only need a handful of blackberries. Add apples, and it makes a lovely cake which can be served with custard to make a wonderful traditional sponge pudding.

> 2 large eggs
> 150g caster sugar
> 150g butter/margarine
> 180g self-raising flour
> ½ teaspoon of vanilla paste or extract

> **For the filling:**
> 2 apples, sliced
> 1 handful of blackberries
> 3 tablespoons demerara sugar
> 1 tablespoon butter

Pre-heat the oven to 180°C / 160°C (fan) / 350°F / gas mark 4.

Cream the butter and the caster sugar until soft and add the vanilla. Beat in one egg at a time (add a spoonful of the flour if the mixture begins to curdle). Sieve the flour and fold into the mixture, then set aside. In a frying pan, heat the demerara sugar and 1 tablespoon of butter over a medium heat until it begins to melt and bubble. Add the sliced apples and allow to simmer (for about a minute) until the apples soften slightly. Line a shallow ovenproof tin or dish with greaseproof paper and carefully pour the apples and the caramel into the tin and add the blackberries. You can make a pretty pattern, but be careful as the apples will be very hot. Don't use your fingers! Spoon the cake mixture on top of the fruit and bake in the oven for 20 minutes until golden brown.

Turn out onto a large serving plate (take care as it is VERY hot).

Serve with custard, cream or crème fraîche.

Noson o Aeaf

Dillad twym, bwyd twym, sbeis a thân...

Rwy'n dwlu ar y tymhorau i gyd, ond does dim byd gwell na bod tu fewn ar nosweithiau oer, gaeafol. Wedi dweud hynny, rwy'n caru bod tu fa's hefyd, mewn cot gynnes yn dal mwgaid o rywbeth poeth ac yn gwylio fflamau tân yn dawnsio o dan flanced o sêr.

Dillad twym, bwyd twym, sbeis a thân; rhain sy'n gwneud dyfodiad y gaeaf yn gyfnod rhyfeddol. Isod, mae cyfuniad cynnes o sbeisys sy'n rhoi aroglau'r gaeaf mewn jar. Defnyddiwch hwn i wneud teisennau a diodydd cynhesol. Cyfeirir ato fel sbeis pwmpen er nad yw'n cynnwys pwmpen o gwbl. Ychwanegwch ychydig at rysáit teisen bwmpen a'i gweini'n boeth gyda hufen iâ neu gwstard ac ni fydd neb yn achwyn!

Winter Nights

Warm clothes, warm food, fire and spice...

I love every season, but nothing beats that lovely feeling of being indoors on cold wintry nights. That said I love being outdoors, dressed in a warm coat, clutching a mug of something hot, watching fiery flames dance the night away below a star-studded sky.

Warm clothes, warm food, fire and spice, make the onset of winter a wonderful time of year. Below is a warming blend of spices that capture the scent of winter in a jar. Use it in cakes and in drinks for a wintry glow. Commonly referred to as pumpkin spice, and yet it contains no pumpkin. Add it to a cake recipe with grated pumpkin and you have a great cake. Serve it hot in a bowl with ice cream or custard and nobody will complain!

Teisen bwmpen sbeislyd

3 wy
175g siwgwr brown euraid
200g menyn / margarîn
200g blawd codi
85g sinsir wedi'i grisialu
250g pwmpen wedi'i gratio
1 llond llwy de o bowdr pobi
1½ llond llwy de o bupur Jamaica wedi'i falu
1½ llond llwy de o sinsir wedi'i falu
naill ai ¼ llond llwy de yr un o glofs a nytmeg
wedi'u malu
neu 3 llond llwy de o sbeis pwmpen
(rysáit isod)

Ar gyfer addurno:
siwgwr eisin
diferyn o ddŵr
addurniadau melys

Pwyswch y cynhwysion a'u rhoi mewn powlenni
bach ar wahân. Curwch y menyn mewn powlen fawr
neu gymysgydd trydan, nes ei fod yn feddal, yna
ychwanegwch y siwgwr yn raddol gan gymysgu'n
barhaus. Curwch yr wyau un ar y tro gan ychwanegu
llwyaid o'r blawd os bydd y gymysgedd yn dechrau
ceulo. Ychwanegwch y bwmpen, y sbeisys a'r blawd
a'u troi'n ofalus i mewn i'r gymysgedd.

Arllwyswch y gymysgedd i dun bundt (neu unrhyw
dun teisen os nad oes gennych un siâp modrwy) a'i
phobi am 1 awr ar 160°C / 140°C (ffan) / 320°F / nwy 3.

I addurno:
Cymysgwch siwgwr eisin gyda diferyn o ddŵr i
wneud eisin gwyn diferol. Diferwch yr eisin dros y
deisen gan ychwanegu addurniadau melys yn syth,
cyn i'r eisin galedu.

Spiced pumpkin cake

3 eggs
175g light brown sugar
200g butter / margarine
200g self-raising flour
85g stem ginger
250g grated pumpkin
1 teaspoon of baking powder
1½ teaspoons of allspice
1½ teaspoons of ground ginger
either ¼ tsp each of clove and nutmeg
or 3 teaspoons of pumpkin spice (recipe below)

For decoration:
icing sugar
water
sweet sprinkles

Weigh out all the ingredients into separate bowls. In
a large mixing bowl, or in a stand mixer, cream the
butter until very soft then add the sugar a little at a
time while mixing continuously. Beat in one egg at a
time – add a spoonful of flour if the mixture begins
to curdle. Finally, add the grated pumpkin, the spices
and the flour and fold into the mixture.

Pour the mixture into a bundt tin (or any cake tin if
you don't have a ring tin) and bake for 1hr at 160°C /
140°C (fan) / 320°F / gas mark 3.

To decorate:
Combine icing sugar with a drop of water to make
a runny white icing. Drizzle over the top of the
cake. Add some seasonal sprinkles to the icing
immediately before it sets.

Afalau a grawnwin taffi (ie – grawnwin!)

RHYBUDD! – Mae siwgwr berwedig yn boeth iawn. Ni ddylai plant wneud y rysáit hon.

> 4-6 afal bwyta
> basgedaid fach o rawnwin
> 225g siwgwr brown neu wyn
> 1 llond llwy de o finegr brag
> 100ml o ddŵr
> lliw bwyd (dewisol)
> ffyn lolis
> ffyn coctel

Rhowch y siwgwr mewn sosban anlynol gyda 80ml o ddŵr. Rhowch y sosban ar wres cymedrol hyd nes bod y siwgwr yn ymdoddi. Os am afalau taffi coch, ychwanegwch liw bwyd nawr! Ychwanegwch y finegr a throwch. Gadewch i'r gymysgedd ferwi am 7-8 munud nes ei bod fel surop. I weld a yw'r taffi'n barod, rhowch ddiferyn ohono mewn powlen o ddŵr iâ; os eith yn galed, mae'n barod. Tynnwch y sosban oddi ar y gwres.

Os nad eith y diferyn yn galed, parhewch i ferwi'r taffi am ychydig funudau eto am fod tynnu taffi stici o'ch dannedd yn dasg tu hwnt o amhleserus!

Byddwch yn ofalus iawn, ond gweithiwch yn gyflym – bydd y taffi'n caledu wrth iddo oeri. Paratowch bopeth erbyn amser gwneud y taffi.

I wneud yr afalau taffi:

Gwthiwch ffon loli i mewn i bob afal. Trowch yr afalau - un ar y tro, yn ofalus - yn y taffi nes bod haenen wastad yn eu gorchuddio. Os hoffech eu haddurno â chnau, gwnewch hynny nawr cyn eu rhoi i oeri ar dun crasu wedi'i leinio neu fat silicon. I'w rhoi fel anrheg, lapiwch nhw mewn seloffen ar ôl iddynt oeri, a chlymwch ruban am bob un - neu mwynhewch nhw eich hun, fel trît, wrth gwrs! Mmm. Hyfryd ar noson tân gwyllt.

I wneud y fersiwn fach ... i bobl fach:

Dipiwch rawnwin yn lle afalau. Defnyddiwch ffyn coctel yn lle ffyn lolis a dilynwch y cyfarwyddiadau uchod. Plis byddwch yn ofalus, gall blant bach dagu ar rawnwin.

Toffee apples and toffee grapes (yes, grapes!)

CAUTION! – Boiling sugar is very hot. Children must not attempt this recipe.

> 4-6 eating apples
> a punnet of grapes
> 225g brown or white sugar
> 1 teaspoon of malt vinegar
> 100ml water
> food colouring (optional)
> lolly sticks
> cocktail sticks

Place the sugar in a non-stick saucepan and add 80ml of water. Place over a medium heat until the sugar dissolves. If you'd like red toffee apples, add red food colouring now. When the sugar has dissolved add the vinegar and stir. Let the mixture boil for 7-8 minutes until it becomes very syrupy. When you think it's ready, drop a small amount into a bowl of ice cold water, if it hardens, the toffee is ready - remove the pan from the heat.

If it doesn't go very hard, keep boiling for a few more minutes as sticky toffee is horrible on the teeth!

Take great care but work quickly as the toffee will harden as it cools. Be prepared, have everything ready for when the toffee is made.

To make the toffee apples:

Push a lolly stick into each apple. Turn them carefully in the toffee one at a time, until they are evenly coated. If you wish to decorate them with nuts, add them straight away. Then place them to cool on a lined baking tray, or a silicone mat. To give them as a gift, once cooled, wrap them in cellophane and tie a pretty ribbon around them, or just enjoy them as a treat. Mmm. Delicious on bonfire night!

To make tiny versions... for tiny people:

Dip grapes instead of apples. Place a cocktail stick into each grape and dip just as you would the apples (above). Please be careful – grapes are a choking hazard for young children.

Syniadau Calan Gaeaf a noson tân gwyllt

Simple ideas for Halloween and bonfire night

....

Bysedd brawychus

bara sleis tenau gwyn
caws meddal
almonau
jam neu sôs coch

Gwnewch frechdan gaws meddal. Torrwch hi i wneud bysedd hir. Gan ddefnyddio cyllell fenyn (heb fod yn finiog) torrwch dair llinell i ddynodi'r cymalau ar bob bys. Ychwanegwch almonau fel ewinedd a jam neu sôs coch i edrych fel gwaed.

Am sbort diniwed!

Scary fingers

thin sliced white bread
cream cheese
whole almonds
jam or ketchup

Make a cream cheese sandwich. Cut into long finger lengths. Using a butter knife (not a sharp one!) add three little lines to mark the knuckles. Add an almond for each fingernail. Add jam or ketchup to look like blood.

Simple fun!

....

Rholiau selsig y Mymi

1 pecyn o selsig bach
1 pecyn o does crwst pwff wedi'i rolio
i roi sglein: wy wedi'i guro

Ffrïwch y selsig a'u gadael i oeri.

Twymwch y ffwrn i 220°C / 200°C (ffan) / 425°F / nwy 7.

Agorwch y rholyn toes crwst pwff a'i adael ar y cefnyn plastig. Torrwch stribedi hir (tua 20cm) a'u defnyddio i lapio'r selsig gan adael un pen ohonynt yn pipo ma's. Brwsiwch y toes gyda'r wy a rhowch y mymïau ar dun crasu. Pobwch yn y ffwrn am tua 20 munud nes eu bod yn euraid.

Rhowch ddau smotyn bach o fwstard ar gyfer y llygaid a joiwch eich swper arswydus!

Mummy sausage rolls

a pack of mini sausages
1 pack of ready rolled puff pastry
to glaze: beaten egg

Fry the sausages until cooked and allow to cool.

Preheat the oven to 220°C / 200°C (fan) / 425°F / gas mark 7.

Unroll the puff pastry and leave on the plastic backing. Cut long lengths (about 20cm long) of pastry, and use the strips to wrap around the sausages allowing one end of the sausage to peep out. Brush the pastry with a little egg and place them all on a baking tray. Bake in the oven for about 20 minutes until golden.

Use mustard to form the eyes! Enjoy your spooky supper!

Cawl ewinedd a sleim gwyrdd

(berwr dŵr, roced, hadau pwmpen a sbigoglys – anhygoel o flasus!)

1 llond llwy de o fenyn
1 winwnsyn mawr
1 taten fawr
1 pecyn o ferwr dŵr
1 llond llaw o sbigoglys
1 llond llaw o roced
(neu becyn cymysg: sbigoglys, berwr dŵr a roced)
400ml stoc cyw iâr neu lysiau
1 llond llaw o hadau pwmpen organig gwyrdd
crème fraîche neu hufen

Tynnwch groen y winwnsyn, ei olchi a'i dorri. Pliciwch a thorrwch y daten. Toddwch y menyn mewn sosban. Chwyswch y winwnsyn neu ei ffrïo'n ysgafn am ychydig funudau nes ei fod yn feddal ond heb frownio. Ychwanegwch y daten a'r stoc, halen a digon o bupur a berwch y cwbl am 10 munud neu nes bod y tatws yn feddal, yna ychwanegwch y pecyn berwr dŵr, y sbigoglys a'r roced i'r sosban. Tynnwch hi oddi ar y gwres er mwyn oeri ychydig cyn rhoi'r cynnwys trwy hylifydd. Pan fydd yn llyfn, rhowch halen a phupur, os oes eu hangen, ychwanegwch chwyrlïad o finegr balsamig, hufen neu crème fraîche a thaenwch yr ewinedd (hadau pwmpen) drosto cyn gweini.

Ffiaidd, ond yn syndod o flasus serch hynny!

Gooey green fingernail soup

(watercress, pumpkin seeds, rocket and spinach - remarkably tasty!)

1 teaspoon of butter
1 large onion
1 large potato
1 bag of watercress
1 handful of spinach
1 handful of rocket
(or a mixed bag of spinach, watercress and rocket)
400ml of chicken or vegetable stock
1 handful of green organic pumpkin seeds
crème fraîche or cream

Peel, wash and chop the onion. Peel and chop the potato. Melt a little butter in a pan. Sweat or gently fry the onion for a few minutes until soft but not browned. Add the potato and the stock, season with salt and plenty of pepper and bring to the boil. Cook the potatoes for 10 minutes or until soft, and then add the bag of watercress, the spinach and rocket to the pan. Remove from the heat and allow to cool a little before blending. Once smooth, season with salt and ground black pepper if required, add a swirl of balsamic glaze, cream or crème fraîche and sprinkle with pumpkin seed fingernails to serve.

Gruesome, but you'll be amazed at how delicious this soup is!

Seidr brwd

Mae'n ddiod lawer ysgafnach na gwin brwd, ac yn twymo'r corff ar noson oer ganol gaeaf.

1 litr seidr
6 clofsen
2 seren anise
¼ nytmeg, wedi'i gratio'n fân dros y sosban
neu defnyddiwch y sbeis pwmpen (uchod)
1 ffon sinamon
2 afal
1 oren neu glementin wedi'i sleisio
4–5 llond llwy ford o siwgwr mân

Arllwyswch y seidr i sosban fawr a'i rhoi ar wres isel i dwymo. Ychwanegwch y sbeisys a chynyddwch y tymheredd hyd nes ei fod bron â berwi, yna gostyngwch y gwres yn syth. Peidiwch a gadael iddo ferwi neu bydd yr alcohol yn diflannu! Chwarterwch yr afalau yna hanerwch bob chwarter a rhowch y clofs trwy 6 o'r darnau a'u rhoi yn y seidr wrth iddo fudferwi. Fel hyn, mae'r clofs yn ddiogel rhag i chi eu llyncu a thagu arnynt. Ychwanegwch yr oren. Yn olaf ychwanegwch gymaint o siwgwr ag sydd ei angen arnoch – mae ambell i seidr yn felysach na'i gilydd. Cadwch y sosban yn dwym a chodwch y seidr â lletwad i wydrau twym. Rhowch ffon sinamon fel tröwr ymhob gwydr.

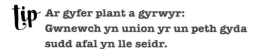 **Ar gyfer plant a gyrwyr:**
Gwnewch yn union yr un peth gyda
sudd afal yn lle seidr.

Mae'n ddiod hyfryd dwymgalon sy'n rhoi croeso cynnes i chi yn ôl i mewn o'r oerfel.

Mulled cider

This is a much lighter drink than mulled wine, and is perfect for sipping on cold winter nights.

1 litre cider
6 cloves
2 star anise
¼ nutmeg, finely grated into the pan
or use a few teaspoons of the pumpkin spice
(see above)
1 cinnamon stick
2 apples,
1 orange or clementine, sliced
4-5 tablespoons of caster sugar

Pour the cider into a large pan and place over a low heat to warm. Add the spices and bring to near boiling then turn right down. Don't allow the cider to boil or the alcohol will disappear! Chop the apples into quarters then cut each quarter in half. Stud the apple pieces with a clove and add to the cider. Doing this keeps the cloves 'safe' and you won't end up swallowing them, or choking on them. Thinly slice the orange, and add to the simmering pot. Finally, add as much sugar as you need – some ciders are sweeter than others. Keep warm and ladle into warmed glasses to serve. Add a cinnamon stick to the glass as a stirrer.

 For children and drivers:
Do exactly the same with apple juice
instead of cider.

This is a lovely warming drink to welcome you in from the cold.

Sbeis pwmpen

3 llond llwy ford o sinamon wedi'i falu
2 lond llwy de o sinsir wedi'i falu
2 lond llwy de o nytmeg wedi'i falu
1½ llond llwy de o bupur Jamaica wedi'i falu
1½ llond llwy de o glofs wedi'u malu

Cymysgwch y sbeisys gyda'i gilydd mewn powlen fach ac yn sydyn fe glywch chi arogl y Nadolig! Storiwch y gymysgedd mewn pot jam neu jar sbeis, yn barod i'w defnyddio drwy'r gaeaf.

Pumpkin spice

3 tablespoons of ground cinnamon
2 teaspoons of ground ginger
2 teaspoons of ground nutmeg
1½ teaspoons of ground allspice
1½ teaspoons of ground cloves

Mix all the spices together in a small bowl, and suddenly you'll smell Christmas! Store the mixture in a clean jam jar or spice container. Quick and easy, and ready to use all winter.

Y Nadolig!

Cyn cloi blwyddyn arall...

Mae tymor y Nadolig yn ei ôl â naws ddisgwylgar. Mae ffenestri siopau'n wincian eu goleuadau ac addurniadau; clywir carolau ar bob llaw a chyffroir pob plentyn. Ymysg y fath frwdfrydedd, mae'n rhwydd anghofio mai dim ond 24 awr o hyd yw'r diwrnod mawr. Mae'n gallu bod yn ddiwrnod llawn sbort a chwerthin yng nghwmni'r teulu agosaf. Disgwylir y cyffro a'r anhrefn achlysurol a all weithiau fod yn rhan o'r diwrnod. Gall y twrci rhost, moch mewn blancedi, pwdinau sir Efrog, hyd yn oed y sbrowts a'r grefi llawn lympiau wneud hwn yn achlysur teuluol arbennig. Mae ambell siwmper Nadolig yn edrych yn dda- trwy sbectol haul.

Dydw i ddim am ddweud wrthych beth i'w goginio ar Ddydd Nadolig. Mae gan bob un ohonoch chi, siŵr o fod, eich ffordd unigryw o ddathlu'r diwrnod. Beth rwy'n cynnig, yn hytrach, yw ychydig o ganllawiau cyffredinol ar sut i osgoi gormod o ffws a ffwdan, sut i ymlacio, llacio'r pwysau a mwyhau'r Nadolig.

It's Christmas at Last!

Another year, nearly over...

The festive season returns, and anticipation hangs in the air. Baubles, fairy-lights, and Christmas music fill the shops, and children can hardly contain their enthusiasm. With such excitement, it's easy to forget that Christmas is just 24 hours long. The day itself is often filled with fun and laughter and is spent with your closest family. The excitement and occasional chaos that can sometimes be part of the day, is expected. The roast turkey, pigs in blankets, Yorkshire puddings, even the dreaded Brussel sprouts and lumpy gravy can make this a special family occasion, with its good, bad and ugly Christmas jumpers!

I'm not going to tell you what to cook for your Christmas menu. You'll all have your own family Christmas dishes and they will be cooked the way only you know how. What I can offer however are a few general guidelines and a small survival manual in the hope that the release valve on the pressure cooker of preparing for Christmas remains well and truly open.

Prif achos pwysau yw'r rhagarweiniad i'r diwrnod mawr ei hun – y siopa, gwesteion annisgwyl, becso os ydych chi wedi prynu digon o fwyd a sut y gallwch chi stopio'r plant ei fwyta i gyd cyn i'r teulu gyrraedd!

Er mwyn osgoi panig munud olaf, sicrhewch bod gennych:

> ddigon o blatiau a chytleri
> wydrau gwin a thymbleri
> ford ddigon mawr
> gadair i bawb
> hylif golchi llestri

Does dim syndod bod y Nadolig yn cael ei ystyried yn her enfawr. Felly – sut gallwn ni wneud pethau'n haws?

Mae angen inni ysgafnhau'r pwysau a dysgu ymlacio. Mae bywyd mor brysur weithiau fel ein bod wedi anghofio sut i arafu a mwynhau. Mae angen inni baratoi ymlaen llaw, ac wedyn oedi, a gadael i'r diwrnod ddatblygu. Rhaid derbyn cymorth a dirprwyo tasgau i'r rhai sydd o'ch cwmpas. Rwyf wedi argraffu hyn o'r blaen ond dyma fy rhestr gynhwysfawr i oroesi'r Nadolig. Weithiau, dw i'n datgan yr hyn sy'n amlwg, ond mae'n dda cael ein hatgoffa!

Sut i oroesi'r Nadolig

* Paratowch gymaint ag y gallwch o'r llysiau, ddiwrnod neu ddau ymlaen llaw a'u storio mewn padelli o ddŵr oer neu yn yr oergell mewn cydau rhewi. Y peth pwysig yw eu cadw'n llaith cyn eu coginio.

* Gwnewch jar neu ddau o jam llugaeron – fe fydd yn cadw'n iawn tan y Nadolig.

* Proseswch fara i wneud briwsion ar gyfer y stwffin o leiaf diwrnod neu ddau ymlaen llaw a'u storio yn y rhewgell nes eich bod yn barod i wneud y stwffin.

* Mae'n bosib hefyd, gwneud y stwffin a'i rewi ymlaen llaw.

* Coginiwch lysiau fel erfin ymlaen llaw a'u twymo nhw ar y diwrnod mawr. Bydd hyn yn gwneud mwy o le ar ben y cwcer.

* Cofiwch gynnwys pawb. Rhowch gyfle i bawb fod yn rhan o wneud y cinio Nadolig. Mae digon i'w wneud: gosod y ford, cynnau canhwyllau, troi'r grefi, twymo'r dysglau...

* Os yw'r ford yn llawn, rhowch y bwyd sydd wedi'i goginio ar ford arall neu arwyneb yn y gegin a'i ddefnyddio fel cerfdy â phawb yn helpu'i hunan.

* Pan fo plât pawb yn llawn, rhowch unrhyw lysiau a grefi sydd ar ôl yng nghanol y ford i bawb gael helpu'i hunan. Mae hyn yn arbed tipyn o wastraff.

* Peidiwch a becso gormod am amseru. Os yw cinio hanner awr yn hwyr, beth yw'r ots?

* Joiwch! Pan eisteddwch chi i lawr o'r diwedd, cofiwch fwynhau eich cinio.

* Peidiwch ag anghofio bod pawb arall yn gallu cerdded i nôl yr halen, y pupur, cyllell, fforc, llwy........!

* Arhoswch gwpl o oriau cyn cael pwdin. Does dim hast.

* Ricriwtiwch bawb i helpu clirio ar ôl cinio. Mae plant bach yn hoffi defnyddio brwsh a phadell lwch.

* Gwnewch yn siŵr bod y peiriant golchi llestri'n wag cyn dechrau cinio, fel ei fod yn rhwydd i'w lwytho ac eistedd i lawr am weddill y prynhawn.

Da iawn. Rydych chi'n haeddu medal!
Dyna chi. Nawr gallwch chi bori am y diwrnodau nesaf ar y twrci a'r stwffin, salad a phopeth arall sydd yn yr oergell. Cymerwch ddiwrnod bant ar Ddydd Gŵyl San Steffan a gadewch i bawb gael bwffe oer hyd nes daw'r awydd drosoch i ddychwelyd at y stôf!

The main cause of stress is the build-up to the day itself, the shopping, the unexpected guests, worrying about how much food to buy, and how to stop the kids eating it all before the relatives arrive!

To prevent a last minute panic, check that you have:

> plenty of plates and cutlery
> wine glasses and tumblers
> a sufficiently large table
> plenty of chairs
> washing up liquid and dishwasher powder

Is it any wonder that Christmas usually presents a challenge? So what can we do to make things easier?

We really do need to take the pressure off and learn to relax and enjoy. We are so used to our busy lives, that we can forget how to unwind and enjoy the moment. We need to prepare in advance, and then chill, and let the day flow. Accept help and delegate tasks to those around you. I've printed this before but here is my comprehensive list to surviving Christmas. Sometimes I'm stating the obvious, but it's good to be reminded!

Christmas survival list

* Prep as many of the vegetables a day or two before and store them in pans of cold water, or in freezer bags in the fridge, the important thing is to keep them moist until you cook them.

* Make a jar or two of cranberry sauce a few weeks in advance; it'll be fine 'til Christmas day.

* Blitz the breadcrumbs for the stuffing at least a day or two beforehand. Store them in the freezer until you are ready to make the stuffing.

* You can also make the stuffing in advance and freeze it.

* Cook vegetables such as swede, in advance and simply warm through on the day – it will free up cooker space!

* Get everyone involved – don't deprive people of the opportunity to be part of the Christmas dinner.

There can be a job for everyone, from laying the table to lighting candles, stirring the gravy to getting the serving dishes warmed.

* If the table is a little cramped, place all the cooked food on another surface (in the kitchen) and treat it like a 'carvery', let everyone help themselves.

* When everyone has filled their plate, place the extras and the gravy on the table, for everyone to top up. This also saves on a lot of waste.

* Don't be too rigid about the timekeeping. If lunch is half an hour late... who cares?

* Enjoy! When you finally sit down for lunch, enjoy the moment.

* Don't forget, that everyone else at the table also has a pair of feet! Let them get the salt, pepper, knife, fork, spoon!

* Pudding can be served a few hours later... don't rush, there's plenty of time.

* Get everyone to help with the clearing up. Even the toddlers love using a dustpan and brush.

* Make sure the dishwasher (not your partner!) is empty before you start lunch, so you can simply load it and sit down for the rest of the afternoon!

Well done! Give yourself a pat on the back. That's it, now you can graze on turkey and stuffing, salads and all the extras in the fridge for the next few days. Take Boxing Day off and let everyone help themselves to a cold buffet until you get the urge to return to the stove!

Teisen ffrwythau ferw

3 cwpanaid o ffrwythau cymysg
1 cwpanaid o laeth
1 cwpanaid o siwgwr brown
170g menyn wedi'i doddi
2 gwpanaid o flawd codi
½ llond llwy de o sbeis cymysg
1 llond llwy de o bowdr pobi
3 wy wedi'u curo'n dda

Ar gyfer addurno:
marsipán
eisin caled
neu ychwanegwch ffrwythau, cnau a sglein
jam bricyll

Y noson gynt:
Rhowch y ffrwythau cymysg mewn powlen gyda
rhywfaint o de ffrwythau ac ychydig o beli marsipán.
Trowch y cyfan yn dda i doddi'r marsipán a'i adael
dros nos.

Y diwrnod canlynol:
Twymwch y ffwrn i 180°C / 160°C (ffan) / 350°F / nwy 4.

Rhowch y ffrwythau cymysg, y llaeth, y siwgwr a'r
menyn mewn sosban fawr a'u berwi am 5 munud.
Gadewch i'r gymysgedd oeri. Yna, ychwanegwch y
blawd codi, y sbeis cymysg, y powdr pobi a'r 3 wy.
Cymysgwch y cwbl.

Leiniwch dun 9" (22cm) gyda phapur pobi. Llenwch y
tun gyda'r gymysgedd a'i rhoi yn y ffwrn am 1½ awr
nes bod y deisen wedi'i choginio.

I addurno:
Ar ôl iddi oeri, gorchuddiwch y deisen gyda jam
bricyll wedi'i doddi er mwyn helpu'r marsipán i
lynu. Rholiwch y marsipán i drwch o tua 4mm a'i
osod ar ben y deisen a'i dorri i ffitio. Ar gyfer teisen
draddodiadol yr olwg, ychwanegwch lwyeidiau o
eisin gwyn stiff ar ei phen, gan ddefnyddio cyllell
balet, i wneud patrwm drifft eira, yna ychwanegwch
addurniadau Nadolig a rhuban i orchuddio'r ochrau.

 Ar gyfer teisen ffrwythau gyda chnau:
Brwsiwch dop eich teisen gyda haenen drwchus
o jam bricyll a gosodwch eich hoff ffrwythau a
chnau drosti.

Quick and easy boiled fruit cake

3 cups of mixed fruit
1 cup of milk
1 cup of brown sugar
170g melted butter
2 cups of self-raising flour
½ teaspoon of mixed spice
1 teaspoon of baking powder
3 eggs well beaten

For the decoration:
marzipan
royal icing
or simply add fruit, nuts and an apricot
jam glaze

The night before:
Place the mixed fruit in a bowl with some fruit tea
and a few balls of marzipan. Stir well, to melt the
marzipan and leave to stand overnight.

The next day:
Pre-heat the oven to 180°C / 160°C (fan) / 350°F /
gas mark 4.

Place the mixed fruit, milk, sugar and butter in a large
saucepan and boil for 5 minutes. Allow the mixture to
cool. Then add 2 cups of self-raising flour, the mixed
spice, baking powder add three well beaten eggs.
Mix together.

Line a 9" (22cm) cake tin with parchment paper. Fill
the lined cake tin with the mixture and place in the
oven for 1½ hrs until cooked.

To decorate:
Once cooled, cover the cake with melted apricot
jam, this will help to secure the marzipan to the
cake. Roll out the marzipan to about 4mm thick and
place on top of the cake then trim to size. For a quick
traditional looking cake add spoonfuls of stiff white
icing on top, using a pallet knife, to make a snow drift
pattern, then add favourite toy Christmas decorations.
Add a ribbon to the sides and stand back to admire
your handiwork. To finish, glaze with more apricot jam.

 For a nutty fruit cake: Brush the cake with a
thick layer of apricot jam and arrange some of
your favourite fruit and nuts on top.

Teisen Nadolig

Rydyn ni wedi ein difetha gyda'r holl ryseitiau teisen Nadolig sydd ar gael. Mae ambell rysáit yn gofyn gwaith caled, ambell un arall am rai dyddiau o baratoi. Mae angen lapio rhai teisennau, fel baban, a'u bwydo'n rheolaidd fel baban hefyd! Os na allwch chi fuddsoddi llawer o amser, rhowch gynnig ar ddull fy mamgu o ferwi teisen, sy'n llawer cyflymach i'w gwneud a'i choginio na'r rhan fwyaf o deisennau Nadolig.

Christmas cake

When it comes to Christmas cake recipes we're spoilt for choice. Some recipes are very labour intensive, others require days of preparation in advance. Some cakes, like babies, need to be wrapped up and fed regularly. If you really haven't got the time, try this boiled cake method my grandmother used which requires significantly less cooking time than most Christmas cakes.

Briwfwyd melys cartref

Mae gwneud eich briwfwyd eich hun yn gallu bod yn dipyn o sbort a dyw e ddim yn anodd chwaith. Gallwch chi brynu jar o'r siop, ond wneith e ddim blasu hanner cystal â'r fersiwn gartref.

Cymysgwch eich hoff ffrwythau sych gyda'i gilydd. Defnyddiwch gwrens, rhesin, syltanas, llugaeron, datys ac eirin sych. Am flas mwy egsotig, a llai traddodiadol, defnyddiwch fango a phîn-afal, papaia ac afal sych.

At bob ½ kilo (500g) o ffrwythau, ychwanegwch lond llaw o gnau Ffrengig, cnau cyll neu gnau almon (i gyd wedi'u torri'n fân). Yna ychwanegwch flas sitrws, fel sudd a chroen oren/lemwn.

Er mwyn ei wneud yn fwy swmpus, torrwch 2 afal a'u hychwanegu at y gymysgedd ynghyd â 2 lond llwy de o sbeis cymysg a gwydraid o frandi, port neu unrhyw hoff wirod arall.

Yna ychwanegwch 150-200g o siwgwr brown a thua 100g o siwet, cynhwysyn traddodiadol sydd ar gael yn y siopau ac ar ffurf fersiwn lysieuol hefyd.

Gall y plant roi help llaw nawr. Berwch y tegell, gwnewch ddysglaid o de, ymlaciwch a gadewch i'r plant wneud y gwaith o gymysgu'r blasau gyda'i gilydd.

Y cyfan sydd ar ôl i'w wneud nawr yw llenwi potiau jam gyda'r briwfwyd melys hyfryd yma, yn barod at wneud mins-peis a thartenni'r Nadolig.

 Os oes peth ar ôl, lapiwch labeli pert a chlymwch rubanau am y potiau a'u rhoi'n anrhegion Nadolig i berthnasau a ffrindiau lwcus yn lle danfon cerdyn!

Ychwanegwch flawd, mwy o sbeisys ac wyau er mwyn troi'r hyn sy'n weddill yn bwdin Nadolig. Jobyn arall wedi'i wneud!

Make homemade mincemeat

Making your own mincemeat really isn't difficult. You can pop to the shops and buy a jar of mincemeat, but you won't beat the flavour of the homemade version, and it's a lot more fun to eat homemade mince pies or tarts.

Mix all your favourite dried fruity flavours together. Use currants, raisins, sultanas, cranberries, dates, and prunes. To make it more exotic and less traditional, try using mango and pineapple, papaya and dried apple.

To approximately ½ kilo (500g) of dried fruit, you can add a handful of chopped walnuts, hazelnuts or almonds, and then add some citrus flavours like orange and lemon juice and zest.

To bulk up the mix, add 2 chopped apples, and then spice it up with 2 teaspoons of mixed spice and a glass of brandy, port or any favourite tipple.

Sweeten with brown sugar (150-200g) and add about 100g of suet, a traditional ingredient which is now widely available in shops in both traditional and vegetarian forms.

The children can take over at this point, pop the kettle on and relax, make a cup of tea, and allow the children to do the stirring. The flavours simply need to mix together.

All you need to do now is jar up this amazing Christmas mincemeat into sterilised jars ready for your Christmas mince pies and tarts.

 If you've made too much use pretty labels and ribbon and give away jars to very lucky friends and family as little pre-Christmas gifts or instead of a card!

Add flour, more spices and eggs and turn the remainder into a Christmas pudding. Job done!

Byns babka afal a phecan sbeislyd

500g blawd bara gwyn cryf
1 llond llwy de o halen
1 llond llwy de o furum sych
3 llond llwy ford o siwgr brown meddal
1 llond llwy ford o fenyn
200ml dŵr/llaeth twym
2 wy

Ar gyfer y llenwad:
300g afalau
1 llond llwy ford o fenyn
75g siwgwr brown golau
50g cnau pecan wedi'u torri'n fân
1 llond llwy de o sinamon (dewisol)

I roi sglein:
dŵr a siwgwr mân neu jam bricyll

Rhwbiwch y menyn gyda'r blawd. Ychwanegwch yr halen, y siwgwr a'r burum. Ychwanegwch y dŵr a chymysgwch i ffurfio toes. Rhowch flawd ar ford neu arwyneb gweithio a thylinwch y toes am tua 7 munud. Yna, rhowch y toes mewn powlen, a'i orchuddio â lliain tamp neu haenen lynu a'i roi mewn lle twym. Mae'r burum yn cael cyfle i wneud ei waith a chreu llawer o swigod carbon deuocsid sy'n gwneud y bara'n ysgafn a sionc.

Pliciwch yr afalau a'u deisio. Rwy'n eu torri nhw'n eithaf bach fel eu bod nhw'n coginio'n gyflym ac yn faint da i lenwi'r byns. Twymwch yr afalau a'r menyn mewn sosban ac ychwanegwch ddiferyn o ddŵr (tua 100ml) cyn iddynt ddechrau glynu i'r sosban. Ychwanegwch y siwgwr – gwneith siwgwr gwyn y tro ond rwy'n hoffi blas siwgwr brown a'r lliw tywyll mae'n ei roi i'r saws. Ychwanegwch y sinamon a'r cnau a'i adael i fudferwi nes bod yr afal yn feddal. Ychwanegwch ddiferyn o ddŵr cyn iddo fynd yn rhy sych.

(Mae'r llenwad yma'n hyfryd yn y byns babka ond mae'n dda ar ben uwd i frecwast hefyd, neu gyda hufen iâ amser te!)

Ar ôl iddo ddyblu mewn maint, tylinwch y toes eto a'i rolio i siâp petryal mawr (tua'r un maint â darn o bapur A3). Gorchuddiwch hanner y toes gyda'r saws afal sbeislyd a'i blygu yn ei hanner i wneud

Spiced apple and pecan babka buns

500g strong white bread flour
1 teaspoon of salt
1 teaspoon of dried yeast
3 tablespoon of soft brown sugar
1 tablespoon of butter
200ml warm water/milk
2 eggs

For the filling:
300g apples
1 tablespoon of butter
75g light brown sugar
50g pecan nuts, chopped
1 teaspoon of cinnamon (optional)

For glazing:
water and caster sugar or apricot jam

Rub the butter into the flour; add the salt, sugar and yeast. Add the water and mix to form a dough. Knead the dough on a floured table for about 7 minutes. Place the kneaded dough into a bowl, cover with a damp clean tea towel or cling film and place somewhere warm. This gives the yeast time to work and create lots of lovely carbon dioxide bubbles to make the bread bouncy and light.

Peel and dice the apples. I like to dice them quite small as they cook quickly and are a good size for filling the buns. Heat the apple and the butter in a saucepan and before it sticks to the pan, add a drop of water (about 100ml). Sweeten with 75g brown sugar. White sugar will do, but I like to add brown sugar as it gives more flavour and a deep colour to the sauce. Add the cinnamon and the nuts and allow to simmer until the apple is soft. Add a few drops of water if it becomes too dry.

(This filling is lovely in the babka buns, but is great as an addition to your morning porridge or with ice cream at tea time!)

Once it's doubled in size, turn out the dough, knead it again and roll it out to form a large rectangle (about the size of an A3 sheet of paper). Cover half the dough with the spiced apple sauce, then fold it over to cover the apple. You should now have a large

amlen fawr sy'n llawn saws. Nawr defnyddiwch gyllell finiog neu siswrn i dorri'r toes yn stribedi hir tua 2.5cm o led. Mae hyn yn creu tipyn o lanast ond daliwch ati. Nawr rhowch dro ymhob stribed a throellwch nhw sawl gwaith cyn eu troi o gwmpas eich bysedd i wneud peli blêr.

Rhowch y peli ar dun crasu wedi'i leinio a'u gorchuddio unwaith eto gyda lliain neu haenen lynu a'u gadael mewn lle twym am 40 munud nes eu bod wedi dyblu mewn maint. Brwsiwch y byns gydag wy wedi'i guro a'u rhoi yn y ffwrn am 20 – 30 munud ar dymheredd o 190°C / 170°C (ffan) / 375°F / nwy 5, nes eu bod yn euraid.

Rhowch sglein ar y byns gyda chymysgedd o ddŵr twym a siwgwr mân. I gael byns gludiog sgleiniog, rhowch jam bricyll wedi'i doddi drostynt.

Mmm hyfryd!

filled envelope. Using a sharp knife or scissors, cut the dough into long lengths. This can become a little messy, but keep going! Each strip of dough should be about 2.5cm wide. Now twist each one several times and finally roll it up around your fingers and tuck the ends in to make a very untidy ball.

Place the buns on a lined baking tray. Cover them with cling film or a tea towel once again, and place them somewhere warm for 40 minutes until they double in size. Finally, glaze with a beaten egg and bake them in the oven at 190°C / 170°C (fan) / 375°F / gas mark 5 for 20-30 minutes, until golden brown.

Glaze the buns with a heated mixture of sugar and water, or with melted apricot jam for sticky shiny buns!

Mmm, lovely!

 Gwnewch ddigon o'r saws afal pecan sbeislyd ymlaen llaw a'i gadw ar gyfer ryseitiau'r hydref a'r gaeaf.

tip Make a generous batch of this spiced apple pecan sauce, ready for a variety of autumn and winter recipes.

Ffeithiau pwdin Nadolig

Amser maith yn ôl, gwnaed y pwdin Nadolig gyda chig - cig dafad neu gig eidion fel arfer, yn ogystal â winwns, gwin, sbeisys a ffrwythau sych.

I'r tywysog Albert, gŵr y frenhines Fictoria y mae'r diolch am ddechrau'r traddodiad o gael pwdin adeg y Nadolig ym Mhrydain. Cyflwynodd Albert bwdin, a oedd yn edrych ac yn blasu'n debyg i'r pwdin rydyn ni'n ei fwyta heddiw.

Y gwahaniaeth mwyaf rhwng teisen draddodiadol y Nadolig a phwdin Nadolig yw y gweir y pwdin gyda siwet a'i stemio yn hytrach na'i bobi.

Christmas pudding facts

A very long time ago, Christmas puddings contained meat, usually mutton or beef as well as onions, wine, spices and dried fruit.

The Christmas pudding tradition was introduced to Victorian Britain by Prince Albert, husband of Queen Victoria. By this time the pudding looked and tasted much as it does today.

The main difference between a traditional Christmas cake and a Christmas pudding is that the pudding contains suet, and is steamed rather than baked.

Noswylio'r plant ar noswyl Nadolig

Ar ôl sawl blwyddyn o brofiad, gwn fod cael y plant i'w gwelyau ar noswyl y Nadolig, yn orchwyl bron yn amhosibl ei gyflawni heb feddu ar sgiliau trafod proffesiynol! Mae'n rhaid cytuno, hefyd, ar 'amser codi derbyniol' ac o ystyried yr oriau sydd o 'mlaen yn brwydro gyda phapur lapio a thâp stici, mae'n hanfodol cynnal yr uwchgyfarfod blynyddol a'i holl fargeinio mewn awyrgylch heddychlon a digynnwrf.

Mae ymchwil helaeth yn awgrymu'n gryf bod llwgrwobrwyo gyda diod arbennig yn helpu! Gall y ddefod deuluol o gynllunio (ac yfed) diod Nadoligaidd, sydd fel arfer yn cynnwys siocled, llaeth twym a mwy o siocled, ddechrau mor gynnar ag sy'n gyfleus, ond os dechreuwch chi ganol y prynhawn, mae'n bosib y bydd y plant yn disgwyl 'mlaen i fynd i'r gwely!

Christmas Eve: Getting the excited children to bed!

From years of experience I know that getting the children to bed is an almost impossible task of skill and negotiation! Add the pressure of trying to bargain a reasonable 'getting up' time, and Christmas Eve can become rather stressful. If like me, you also have an endless battle with wrapping paper and sticky tape ahead, this evening ritual needs to go calmly and without a hitch.

Extensive research suggests that a milky drink bribe might help! A joint family activity to create the perfect yuletide beverage, involving chocolate, milk and festive chocolate sprinkles can happen as early or as late as you wish, but start the process mid-afternoon and the kids might even look forward to bedtime!

Tartiflette

Pryd anhygoel o faldodus a chysurus o ardal Savoy yn yr Alpau Ffrengig yw tartiflette; trît ar ôl diwrnod hir gydag ymwelwyr y Nadolig. Mae'r cynhwysion yn tueddu i fod yn y tŷ ar ôl y Nadolig ac mae'n ddigon rhwydd ei wneud. Mae'r rysáit yn gofyn am gaws yr ardal – reblochon - ond gwneith unrhyw gaws blasus y tro.

    1kg tatws salad wedi'u plicio
    250g stribedi cig moch
    2 shibwn neu ½ cenhinen
    1 ewin garlleg
    100ml gwin gwyn
    200ml hufen dwbl
    halen a phupur du
    450g caws Reblochon wedi'i sleisio neu
    unrhyw gaws arall

Twymwch y ffwrn i 200°C / 180°C (ffan) / 400°F / nwy 6/7.

Berwch y tatws mewn sosban o ddŵr hallt am 5-10 munud neu hyd nes eu bod braidd wedi'u coginio.

Tynnwch nhw o'r dŵr ac ar ôl iddynt oeri am ychydig, sleisiwch nhw'n denau.

Ffrïwch y cig moch, y winwns a'r garlleg mewn ffrimpan am ychydig funudau hyd nes eu bod yn euraid.

Arllwyswch y gwin gwyn ar ben y cwbl i lanhau gwaelod y ffrimpan a chreu grefi blasus. Parhewch i'w goginio hyd nes bod y rhan fwyaf o'r hylif yn anweddu.

Gosodwch haenau o datws a'r gymysgedd cig moch mewn dysgl ffwrn. Arllwyswch yr hufen dwbl drostynt ac ychwanegwch binsiad yr un o halen a phupur. Rhowch haenen o'r caws ar ben y cyfan a'i bobi yn y ffwrn am tua 15 munud neu hyd nes bod y caws yn euraid, yn ffrwtian ac yn disgwyl yn flasus.

Rhowch ar blât gyda salad a bara crystiog ... i sychu'r caws bendigedig!

Tartiflette

Such an amazing, comforting and indulgent French dish from the Savoy region in the French Alps is a perfect treat after a long day with visitors. It's made with all those things you tend to have plenty of after Christmas and requires little effort really! The recipe might ask for the local cheese – reblochon – but any combination of your leftover cheese will be perfect.

    1kg salad potatoes peeled
    250g bacon lardons
    2 shallots or ½ a leek
    1 clove of garlic
    100ml white wine
    200ml double cream
    salt and ground black pepper
    450g Reblochon cheese, sliced or any mix
    of cheeses

Preheat the oven to 200°C / 180°C (fan) / 400°F / gas mark 6/7.

Boil the potatoes with a little salt for 5-10 minutes, or until just cooked.

Drain them, and allow to cool slightly, before slicing them thinly.

In a frying pan, fry the bacon, onions and garlic for a few minutes until golden-brown.

Use the 100ml white wine to deglaze the pan and continue cooking until most of the liquid has evaporated.

Layer the sliced potatoes with the bacon mixture in an ovenproof dish. Pour in the double cream and add salt and plenty of ground black pepper. Finally, layer the Reblochon slices or your own mix of cheeses on top and bake in the oven for up to 15 minutes or until the cheesy top is bubbly and golden-brown.

Serve with salad leaves and crusty bread... to mop up the lovely cheese!

Diolch

Mae e 'di bod yn ddwy flynedd prysur!

Mae'r diolch pennaf yn mynd i Jonathan am oddef y misoedd o ysgrifennu ryseitiau a thynnu lluniau bwyd! Diolch am ymdopi rywsut a chefnogi'n dawel fy holl ymdrechion.

Diolch hefyd i'm plant anhygoel, Aimee, Sam, Josh, Ailsa ac Anya, am y gefnogaeth, yr ysbrydoliaeth a'r cymorth bob amser. Byddwn i ddim wedi gallu cyflawni hyn heboch chi.

Diolch yn fawr i bawb sydd wedi rhoi cefnogaeth mewn sawl ffordd: I Mam a Dad, Leona a Colin, fy mrawd Alastair a'i wraig Terri, am eu caredigrwydd ac i Alastair am roi clust gyson i rai o'm syniadau gwallgof.

Diolch i Aled Llywelyn am y lluniau rhyfeddol. Er yr oriau hirion a'r gwaith caled, roedd pob 'diwrnod ffoto' yn gymaint o sbort.

Diolch i gwsmeriaid ffyddlon The Pumpkin Patch, i ffrindiau instagram @lisaannefearn ac i'r darllenwyr. Mae'r hyn rwy'n ei wneud yn rhoi llawer o hapusrwydd imi ac rwy'n dwlu ar weld bob un ohonoch yn coginio ac yn cael yr ysbrydoliaeth i dreial pethau newydd.

Mae'r diolch olaf i bawb yn Gomer, y dylunydd Simon Bradbury a'r cynllunydd Rebecca Ingleby Davies...... ac wrth gwrs - Sali Mali, a wnaeth hyn yn bosib.

Thank you

It's been a busy few years!

The biggest thanks of all must go to Jonathan, for putting up with months of writing and food photography! Thank you for somehow coping and quietly supporting whatever I do.

Thanks also to Aimee, Sam, Josh, Ailsa and Anya my truly amazing children who always support me, inspire me and help me, I could never have done this without you.

A huge thank you to all of you who have supported me in so many ways: To my Mum and Dad, Leona and Colin, to my brother Alastair and his wife Terri for their generosity and for Alastair being a constant sounding board to my sometimes crazy ideas.

Thanks to Aled Llywelyn for all the wonderful photos in this book. The 'photo days' were such fun despite the long hours and hard work. Diolch.

Thanks to my loyal Pumpkin Patch customers, and to my @lisaannefearn instagram friends. A big thank you, to my readers. I do what I do, because it makes me happy, and I love to see you cook and be inspired to try new things.

Finally, thanks to all at Gomer, illustrator Simon Bradbury and designer Rebecca Ingleby Davies... and of course – Sali Mali, you made this possible.

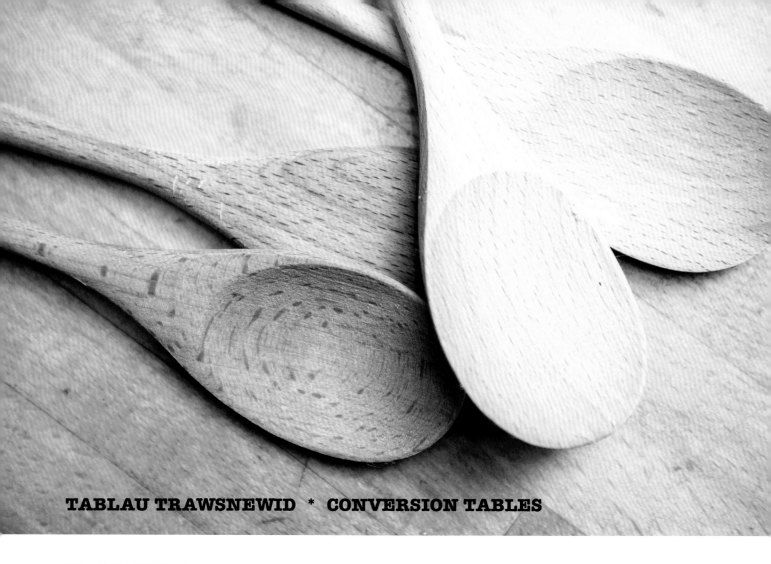

TABLAU TRAWSNEWID * CONVERSION TABLES

PWYSAU / WEIGHTS

IMPERIAL	METRIG / METRIC
½ oz	10 g
¾ oz	20 g
1 oz	25 g
1½ oz	40 g
2 oz	50 g
2½ oz	60 g
3 oz	75 g
4 oz	110 g
4½ oz	125 g
5 oz	150 g
6 oz	175 g
7 oz	200 g
8 oz	225 g
9 oz	250 g
10 oz	275 g
12 oz	350 g
1 lb	450 g
1 lb 8 oz	700 g
2 lb	900 g
3 lb	1.35 kg

HYLIF / LIQUID

IMPERIAL	METRIG / METRIC
2 fl oz	55 ml
3 fl oz	75 ml
5 fl oz (¼ peint / pint)	150 ml
10 fl oz (½ peint / pint)	275 ml
1 peint / pint	570 ml
1 ¼ peint / pint	725 ml
1 ¾ peint / pint	1 litr / litre
2 peint / pint	1.2 litr / litre
2½ peint / pint	1.5 litr / litre
4 peint / pint	2.25 litr / litres

CCNT 26/09/90